中國文化二十四品

中国文化二十四品

内聖外王

儒家的境界

李翔海 著

江苏人民出版社

图书在版编目（ＣＩＰ）数据

内圣外王：儒家的境界 / 李翔海著. -- 南京：江
苏人民出版社，2017.1
（中国文化二十四品）
ISBN 978-7-214-17505-2

Ⅰ．①内… Ⅱ．①李… Ⅲ．①儒家－传统文化－中国
Ⅳ．①B222

中国版本图书馆CIP数据核字(2016)第054358号

书　　　　名	内圣外王——儒家的境界
著　　　者	李翔海
责 任 编 辑	卞清波
责 任 校 对	王翔宇
装 帧 设 计	刘葶葶　张大鲁
出 版 发 行	凤凰出版传媒股份有限公司
	江苏人民出版社
出版社地址	南京市湖南路 1 号 A 楼，邮编：210009
出版社网址	http://www.jspph.com
经　　　销	凤凰出版传媒股份有限公司
照　　　排	南京凯建图文制作有限公司
印　　　刷	江苏凤凰通达印刷有限公司
开　　　本	652 毫米×960 毫米　1/16
印　　　张	14.25　　插页 3
字　　　数	160 千字
版　　　次	2017 年 1 月第 1 版　2017 年 3 月第 2 次印刷
标 准 书 号	ISBN 978 - 7 - 214 - 17505 - 2
定　　　价	34.00 元

（江苏人民出版社图书凡印装错误可向承印厂调换）

编委会名单

顾　问

饶宗颐

叶嘉莹

主　编

陈　洪（南开大学教授）

徐兴无（南京大学教授）

编　委

王子今（中国人民大学教授）　　司冰琳（首都师范大学副教授）

白长虹（南开大学教授）　　　　孙中堂（天津中医药大学教授）

闫广芬（天津大学教授）　　　　张伯伟（南京大学教授）

张峰屹（南开大学教授）　　　　李建珊（南开大学教授）

李翔海（北京大学教授）　　　　杨英杰（辽宁师范大学教授）

陈引驰（复旦大学教授）　　　　陈　致（香港浸会大学教授）

陈　洪（南开大学教授）　　　　周德丰（南开大学教授）

杭　间（中国美术学院教授）　　侯　杰（南开大学教授）

俞士玲（南京大学教授）　　　　赵　益（南京大学教授）

徐兴无（南京大学教授）　　　　莫砺锋（南京大学教授）

陶慕宁（南开大学教授）　　　　高永久（兰州大学教授）

黄德宽（安徽大学教授）　　　　程章灿（南京大学教授）

解玉峰（南京大学教授）

总　序

陈　洪　徐兴无

　　我们生活在文化之中，"文化"两个字是挂在嘴边上的词语，可是真要让我们说清楚文化是什么，可能就会含糊其词、吞吞吐吐了。这不怪我们，据说学术界也有 160 多种关于文化的定义。定义多，不意味着人们的思想混乱，而是文化的内涵太丰富，一言难尽。1871 年，英国文化人类学家爱德华·泰勒的《原始文化》中给出了一个定义："文化，或文明，就其广泛的民族学意义上来说，是包含全部的知识、信仰、艺术、道德、法律、风俗，以及作为社会成员的人所掌握和接受的任何其他的才能和习惯的复合体。"[1]其实，所谓"文化"，是相对于所谓"自然"而言的，在中国古代的观念里，自然属于"天"，文化属于"人"，只要是人类的活动及其成果，都可以归结为文化。孔子说："饮食男女，人之大欲存焉。"[2]在这种自然欲望的驱动下，人类的活动与创造不外乎两类：生产与生殖；目标只有两个：生存与发展。但是人的生殖与生产不再是自然意义上的物种延续与食物摄取，人类生产出物质财富与精神财富，不再靠天吃饭，人不仅传递、交换基因和大自然赋予的本能，还传承、交流文化知识、智慧、情感与信仰，于是人种的繁殖与延续也成了文化的延续。

　　所以，文化根源于人类的创造能力，文化使人类摆脱了

---

　　① ［英］爱德华·泰勒：《原始文化》，连树声译，谢继胜、尹虎彬、姜德顺校，广西师范大学出版社，2005 年，第 1 页。
　　② 《礼记·礼运》。

自然,创造出一个属于自己的世界,让自己如鱼得水一样地生活于其中,每一个生长在人群中的人都是有文化的人,并且凭借我们的文化与自然界进行交换,利用自然、改变自然。

由于文化存在于永不停息的人类活动之中,所以人类的文化是丰富多彩、不断变化的。不同的文化有不同的方向、不同的特质、不同的形式。因为有这些差异,有的文化衰落了甚至消失了,有的文化自我更新了,人们甚至认为:"文化"这个术语与其说是名词,不如说是动词。① 本世纪初联合国发布的《世界文化报告》中说,随着全球化的进程和信息技术的革命,"文化再也不是以前人们所认为的是个静止不变的、封闭的、固定的集装箱。文化实际上变成了通过媒体和国际因特网在全球进行交流的跨越分界的创造。我们现在必须把文化看作一个过程,而不是一个已经完成的产品"②。

知道文化是什么之后,还要了解一下文化观,也就是人们对文化的认识与态度。文化观首先要回答下面的问题:我们的文化是从哪里来的?不同的民族、宗教、文化共同体中的人们的看法异彩纷呈,但自古以来,人类有一个共同的信仰,那就是:文化不是我们这些平凡的人创造的。

有的认为是神赐予的,比如古希腊神话中,神的后裔普罗米修斯不仅造了人,而且教会人类认识天文地理、制造舟车、掌握文字,还给人类盗来了文明的火种。代表希伯来文化的《旧约》中,上帝用了一个星期创造世界,在第六天按照自己的样子创造了人类,并教会人们获得食物的方法,赋予人类管理世界的文化使命。

---

① 参见[荷兰]C. A. 冯·皮尔森:《文化战略》,刘利圭等译,中国社会科学出版社,1992年,第2页。

② 联合国教科文组织编:《世界文化报告——文化的多样性、冲突与多元共存》,关世杰等译,北京大学出版社,2002年,第9页。

有的认为是圣人创造的,这方面,中国古代文化堪称代表:火是燧人氏发现的,八卦是伏羲画的,舟车是黄帝造的,文字是仓颉造的……不过圣人创造文化不是凭空想出来的,而是受到天地万物和自我身体的启示,中国古老的《易经》里说古代圣人造物的方法是:"仰则观象于天,俯则观法于地,观鸟兽之文与地之宜,近取诸身,远取诸物。"《易经》最早给出了中国的"文化"和"文明"的定义:"刚柔交错,天文也。文明以止,人文也。观乎天文,以察时变;观乎人文,以化成天下。"文指文采、纹理,引申为文饰与秩序。因为有刚、柔两种力量的交会作用,宇宙摆脱了混沌无序,于是有了天文。天文焕发出的光明被人类效法取用,于是摆脱了野蛮,有了人文。圣人通过观察天文,预知自然的变化;通过观察人文,教化人类社会。《易经》还告诉我们:"一阴一阳之谓道,继之者善也,成之者性也。仁者见之谓之仁,知者见之谓之知。"宇宙自然中存在、运行着"道",其中包含着阴阳两种动力,它们就像男人和女人生育子女一样不断化生着万事万物,赋予事物种种本性,只有圣人、君子们才能受到"道"的启发,从中见仁见智,这种觉悟和意识相当于我们现代文化学理论中所谓的"文化自觉"。

　　为什么圣人能够这样呢?因为我们这些平凡的百姓不具备"文化自觉"的意识,身在道中却不知道。所以《易经》感慨道:"百姓日用而不知,故君子之道鲜矣。"什么是"君子之道鲜"?"鲜"就是少,指的是文化不昌明,因此必须等待圣人来启蒙教化百姓。中国文化中的文化使命是由圣贤来承担的,所以孟子说,上天生育人民,让其中的"先知觉后知""先觉觉后觉"[①]。

---

　　① 《孟子·万章》。

无论文化是神灵赐予的还是圣人创造的,都是崇高神圣的,因此每个文化共同体的人们都会认同、赞美自己的文化,以自己的文化价值观看待自然、社会和自我,调节个人心灵与环境的关系,养成和谐的行为方式。

中国现在正处在一个喜欢谈论文化的时代。平民百姓关注茶文化、酒文化、美食文化、养生文化,说明我们希望为平凡的日常生活寻找一些价值与意义。社会、国家关注政治文化、道德文化、风俗文化、传统文化、文化传承与创新,提倡发扬优秀的传统文化,说明我们希望为国家和民族寻求精神力量与发展方向。神和圣人统治、教化天下的时代已经成为历史,只有我们这些平凡的百姓都有了"文化自觉",认识到我们每个人都是文化的继承者和创造者,整个社会和国家才能拥有"文化自信"。

不过,我们越是在摆脱"百姓日用而不知"的"文化蒙昧"时代,就越是要反思我们的"文化自觉",因为"文化自觉"是很难达到的境界。喜欢谈论文化,懂点文化,或者有了"文化意识"就能有"文化自觉"吗?答案是否定的。比如我们常常表现出"文化自大"或者"文化自卑"两种文化意识,为什么会这样呢?因为我们不可能生活在单一不变的文化之中,从古到今,中国文化不断地与其他文化邂逅、对话、冲突、融合;我们生活在其中的中国文化不仅不再是古代的文化,而且不停地在变革着。此时我们或者会受到自身文化的局限,或者会受到其他文化的左右,产生错误的文化意识。子在川上曰:"逝者如斯夫。"流水如此,文化也如此。对于中国文化的主流和脉络,我们不仅要有"春江水暖鸭先知"一般的亲切体会和细微察觉,还要像孔子那样站在岸上观察,用人类历史长河的时间坐标和全球多元文化的空间坐标定位中国文化,才能获得超越的眼光和客观真实的知识,增强与其他文化交流、借鉴、融合的能力，增强变革、创新自己的文化的能力，这也叫做"文化自主"的能力。中国当代社会人类学家费孝通先生说：

> "文化自觉"是当今时代的要求，它指的是生活在一定文化中的人对其文化有自知之明，并对其发展历程和未来有充分的认识。也许可以说，文化自觉就是在全球范围内提倡"和而不同"的文化观的一种具体体现。希望中国文化在对全球化潮流的回应中能够继往开来，大有作为。①

因为要具备"文化自觉"的意识、树立"文化自信"的心态、增强"文化自主"的能力，所以，我们这些平凡的百姓需要不断地了解自己的文化，进而了解他人的文化。

中国文化是我们自己的文化，它博大精深，但也不是不得其门而入。为此，我们这些学人们集合到一起，共同编写了这套有关中国文化的通识丛书，向读者介绍中国文化的发展历程、特征、物质成就、制度文明和精神文明等主要知识，在介绍的同时，帮助读者选读一些有关中国文化的经典资料。在这里我们特别感谢饶宗颐和叶嘉莹两位大师前辈的指导与支持，他们还担任了本丛书的顾问。

中国文化崇尚"天人合一"，中国人写书也有"究天人之际，通古今之变"的理想，甚至将书中的内容按照宇宙的秩序罗列，比如中国古代的《周礼》设计国家制度，按照时空秩序分为"天地春夏秋冬"六大官僚系统；吕不韦编写《吕氏春

---

① 费孝通：《经济全球化和中国"三级两跳"中的文化思考》，《光明日报》2000年11月7日。

秋》,按照一年十二月为序,编为《十二纪》;唐代司空图写作《诗品》品评中国的诗歌风格,又称《二十四诗品》,因为一年有二十四个节气。我们这套丛书,虽不能穷尽中国文化的内容,但希望能体现中国文化的趣味,于是借用了"二十四品"的雅号,奉献一组中国文化的小品,相信读者一定能够以小知大,由浅入深,如古人所说:"尝一脔肉,而知一镬之味,一鼎之调。"

2015 年 7 月

目 录

洙泗源流

　　如所周知,儒家是中国文化传统的主流之一。在今天,我们讨论到中国文化传统时,经常会以"儒道互补"来形容其基本的骨架;讨论到中国传统政治时,经常会用"儒法并用"来形容其基本的运作方式;在经历了发展历程中又一次"儒门淡薄,收拾不住"的困窘、儒家思想在现代几乎遭遇灭顶之灾后,直至1993年,美国哈佛大学教授亨廷顿在提出"文明冲突"论时,依然在与西方文明等的比较中,把中国称之为"儒教国家"。这些都清楚地表明了儒家思想与现代中国、与中华民族不可分割的紧密联系。

　　本书的宗旨是以通俗、简洁的语言,准确地阐释儒家思想的义理、剖析儒家思想对中华民族与中华文化多方面的影响。为此,我们首先对儒家思想发展演进的历史轨迹做一概要的叙述。

孔子与儒学的创立

　　对今天的中国人而言,儒学通常被等同于"孔孟之道"。可以指出的是,在中国思想史上,这种情况的出现是在宋代之后。此前,人们说到儒学时则是"周孔并称",即把西周初年辅相成王、制礼作乐的周公与孔子放在一起。随着宋代理学的兴起,才逐渐出现了孔孟并称的情况。上述两种说法的共同之处是都强调了孔子与为中华民族的早期发展做出了重要贡献的古圣先贤尧、舜、禹、汤、文(周文王)、武(周武王)、周公之间在思想义理上一脉相承的内在联系;其差别则在于:周孔并称主要突显了孔子思想对古圣先贤的继承性,孔孟并称则指明了孔子是儒学的创立者,从而事实上强调了孔子思想对于古圣先贤思想在继承的基础上予以变革的一面。本书认同于后一种立场,因而我们对儒家思想发展演进之历史轨迹的叙述就从孔子开始。

一、孔子生平大略

据《史记·孔子世家》记载,孔子"其先宋人也"。这是
说,虽然我们都知道孔子是出生在今天的山东曲阜,但他的
祖先却是宋国人。宋是周取殷而代之后,西周初年周公以成
王之命封商纣王庶兄微子启于今天的河南商丘以"继绝世"
即使殷商的祖先能够继续得到祀奉而建立的封国。微子启
死后,其弟微仲即位,据传就是孔子十五世祖。孔子的祖先
曾经是宋国的国君,及至先祖弗父何让国于其弟厉公,才由
诸侯之家转为公卿之家。另一个先祖正考父先后辅佐戴、
武、宣公三朝,以恭谨节俭而闻名。这样,孔子的始祖就可
以追溯到殷商的创立者汤。正因为此,在孔子十七岁的时
候,鲁国大夫孟厘子就称孔子为"圣人之后",并在临死时嘱
咐自己的儿子孟懿子拜孔子为师。按照周代礼制,贵族的爵
位最多只能继承五代,"五世亲尽,别为公侯",即五代以后就
不能再算作祖宗的一支继承爵位,而必须自己另立一家。所
以自其先祖孔父嘉起即以"孔"为氏。由于碰到宋国的内乱,
孔子的先祖避难来到鲁国,并下降为士阶层。孔子曾祖父为
孔防叔,祖父名伯夏,父亲为叔梁纥,做过鲁国昌平乡陬邑大
夫。叔梁纥年老时娶了颜姓少女颜徵在后,于鲁襄公二十二
年(公元前 551 年)生了孔子。由于孔子父母曾经为了得子
而向尼丘山祷告,而且他刚出生时头顶是凹下去的,所以就
给他取名叫孔丘,字仲尼。孔子有一个哥哥,所以在家排行
第二。

由于至孔子父亲一代,家道已经衰微,加之孔子三岁丧
父,其后由寡母一手拉扯大,孔子少时的贫贱是不难想见的。
所以孔子说:"吾少而贱,故多能鄙事。"他不仅做过"乘田"

(负责牛羊畜牧)和"委吏"(管理粮食收藏等)的小官,而且据说还做过专为贵族办理冠(古时男子 20 岁时举行的标志成年的仪式)、婚、丧、祭(祭祀天地山川、祖先、鬼神等)等事务的司仪。而这也就成了后世"儒"的意义来源之一。

孔子虽然自幼贫贱,但却聪明好学。他从小就跟着母亲颜徵在认字、习礼,做游戏时就能组织儿童模仿、操练一些典礼的仪式。从 15 岁起,他就明确地立志向学。由于孔子虚心好学,不仅谙熟有关周礼的各种礼仪典章种类、具体内容与操作程序,而且还在躬行践履之中不断修己体认,他很早就以"博学而知礼"成为鲁国的闻人。当他 20 岁生子的时候,鲁昭公即以鲤赐孔子以示庆贺。孔鲤的名字即由此而来。最迟在 30 岁左右,孔子开始收徒授业。虽然孔子并不安于独善其身,而是立志要兼济天下,但一直到鲁定公 9 年(公元前 501 年)孔子 51 岁的时候,一展宏图的机会才降临到他的头上。这一年,鲁定公任用孔子为中都宰(即首都的行政长官),开始了孔子短暂而又辉煌的从政时期。先是"中都大治,四方则之"。一年后,孔子升任小司空,随即迁大司寇并进而"摄行相事"即代理宰相职务。数年之内,孔子以其卓越的政治才干,在内政、外交、礼乐教化、行政制度等诸方面都取得了显著的成绩,所谓"闻政之日,鲁国大治,诸侯畏服"。这期间颇能体现孔子之智慧与勇气以及政治才干的事件是齐鲁之间的"夹谷之会"。

这一年,齐国由于惧怕"鲁用孔丘,其势危齐",策划在夹谷这个地方举行齐鲁之君的"友好"会见,期望挟齐强鲁弱之势,以武力胁迫鲁君以捞取政治便宜。孔子"洞察其奸"。首先作了"武备"。在会见的过程中,孔子又数度挺身而出,据理力争,义正辞严地怒斥了齐人的越礼行为。最后终于使得齐国君"景公心怍",不仅在会谈中不得不依礼而行,而且在回国后还"知义不若,归而大恐",主动地归还了以前侵占的鲁地以谢过。由此孔子更是声名大动。

可惜好景不长。鲁定公和权臣季桓子不久就中了齐人的离间计,沉溺于齐人馈赠的女乐而荒于国事并开始疏远孔子。孔子不愿为了保守名位而苟且,于是愤而辞职并离开鲁国,寄望于在列国中寻找到圣王以施展自己远大的人生报负。这就是孔子生命历程中悲壮而又执着的一幕——周游列国。从55岁到68岁,孔子为了寻找施展抱负的用武之地而流离颠沛了14年,先后游说了72位君与当政大夫。虽然大得名声,但是也备尝艰辛。而孔子也终于未能见用于当世,所谓"如有用我者,我其为东周乎"的人生理想也终于再没有得到尝试的机会。

然而生活的穷困并没有完全消磨掉孔子的志气,晚年的孔子一仍他素具的坚韧精神,在人生的道路上孜孜以求地执着追寻。就在他周游列国返鲁后短短的5年时间里,孔子成就了一项彪炳千秋的伟业:他继承了中华先民已有的传统典籍,以仁民爱物的高尚情怀,凝铸其一生奋斗的热忱与心血,通过因革损益而又"述而不作",改定了六经,对于陶铸中华民族的民族精神起到了不可估量的重大作用。在一定的意义上,的确可以认为,孔子是为中国文化这条"神龙"作了画龙点睛、开光点醒的工作。正是在对人生理想的不懈追求中,孔子燃烧尽了生命的最后一丝烛光,从而为后进者照亮了前行的道路。鲁哀公十六年(公元前479年),孔子辞世,终年73岁。

二、"仁"的标举与儒学的创立

孔子创立的儒学,在中国文化的发展中具有继往开来的意义。孔子生当春秋晚期,在孔子之前,中华文明已经有了悠久的历史。孔子自称是"好古敏以求之"而又"述而不作"。但孔子事实上是以述为作、既守常又应变、既慕古而又开新的。儒学在中华民族与中华文化发展史上的重大意义就在于：它在周初创制的礼乐文化的形式规范背后点出了"仁"作为其根源性，挺立了人的道德主体性，从而完成了对人之所以为人的理性自觉。

在中华先民的发展史上，曾经留下了尧舜相禅、民众在圣王统治之下沐浴德治教化的美好传说。这一历史今天虽已不能确考，但正是这一时期的礼乐政教与民俗为中国古代文化之为礼乐文化奠定了基础，这当是无疑的。后来西周初年杰出的政治家周公正是通过顺承这一传统，进一步"制礼作乐"，一方面为社会生活确立了典章制度，另一方面为民众日常行止规定了基本规范，从而使中国文化沿着人文化成的道路大大前进了一步。但是，一方面，在西周无论是生活规范还是典章制度，都主要是停留在仪式与仪礼的层面；另一方面，它的社会功能又主要是靠统治阶级贵族自上而下来维持的，普通民众只能是被动接受、遵守而已。而在东周列国以来礼崩乐坏之后，这套礼乐制度由于并不为贵族集团所遵守，就只能是徒具其表而缺乏实质内容，用孔子的话来讲就是"文胜质"了。这就难以真正体现礼乐文化的作用与价值。

孔子正是要为同时代的中国人找到一种恢复礼乐制度的内在力量。为此，孔子把已经见之于《尚书》、《诗经》、《左传》等古代文献中的"仁"赋予了普遍性的、更为深刻的涵义，不仅将它指认为礼乐形式所据以成立的内在根据，而且认之为普遍的人之本性之所在。在孔子这里，"仁"不仅成为礼乐仪节的真实内容，而且成为人之真实生命最内在的本质。孔子不仅点明了"仁"是人之所以为人的、普遍的内在本质，而且充分地突显了人的道德自主性在成就人之真实的自我生命中所起到的主导作用,从而也就事实上是开拓了一个人格的、人文道德的内在世界。这一内在世界的开拓,不仅为礼乐文化这条"龙"点了睛,从而为它注入了内在生命力并使之神龙活现,更重要的是突出了人自己主宰、发展以至完成自我生命的道德自觉性,从而开创了通过自我道德修养而完善自我人格以成就圆满之生命存在的可能性。由此孔子开启了中国文化传统中以修身进德为起点,进而成圣成贤的生命存在形态,最终为礼乐文明确立了成熟而稳定的基本精神方向。

第一期儒学:学理规模的确立与制度化的建构

孔子所创立的儒学,经过以孟子和荀子为主的后学的学理展开和在两汉成为社会的主流意识形态,而最终确立了完整的学理规模,进行了有效的制度建构,从而深刻地影响了中国文化与中华民族的生命存在形态。我们借助于现代儒学重镇牟宗三先生的分期,将从孔子创立到两汉制度化的儒学称之为第一期儒学或者"奠基期儒学"。

一、孟子与荀子对孔子思想的拓展

按照《韩非子·显学》一书的记载,孔子辞世后,儒分为八,即子张之儒、子思之儒、颜氏之儒、孟氏之儒、漆雕氏之儒、仲良氏之儒、孙氏之儒、乐正氏之儒。八个学派之中,经过战国秦汉的战乱与变迁,其中的子张之儒、颜氏之儒、漆雕氏之儒、仲良氏之儒与乐正氏之儒均已为历史的洪流所淹没,秦汉之后一直薪火相传的只有孟氏之儒与孙氏之儒。按照学界一般的看法,孟氏之儒以孟轲为代表,孙氏之儒则以荀况为代表,即通常所称的孟子与荀子。由于早在司马迁《史记·孟子荀卿列传》中就有孟子"受业于子思门人"的记载,再加之近年来郭店楚简等新出土文献也进一步揭示了孟子与孔子嫡孙子思之间的思想联系,因此,在今天我们有了更多的理由将子思与孟子一起称为"思孟学派"。孟子与荀子是儒家在战国中晚期最为杰出的代表。他们分别从不同的方面继承和发扬了孔子的思想,从而为儒家学理规模的确立做出了重要的历史贡献。正因为此,司马迁在《史记》中将二人的生平事迹、基本主张等合撰为《孟子荀卿列传》。

孟子,名轲,字子舆,鲁国邹(今山东省邹城市)人,相传他是鲁国姬姓贵族孟孙氏的后裔,父名激,母仉(zhǎng)氏。约生于周烈王四年(公元前 372 年),约卒于周赧王二十六年(公元前 289 年),终年 84 岁。正是由于作为大圣的孔子和作为亚圣的孟子分别活了 73 岁与 84 岁,民间才有了"七十三,八十四,阎王不请自己去"的俗语。在生平方面,孟子和孔子有很多相似的地方:他们都是贵族的后裔,但出生时都已经沦落到士阶层;他们都自幼丧父,从小由母亲一手拉扯大,"孟母三迁"等是中国古代家喻户晓的教子故事;他们都通过自己的努力而成为当世著名的教师,广收门人,有着广泛的社会影响;他们都曾经为了推行自己的学说而周游列国,孟子到过梁(魏)国、齐国、宋国、滕国、鲁国等国;他们都在晚年退居讲学,留下自己的思想结晶,孟子有《孟子》七篇传世。

在儒学发展史上,孟子沿着内在化的进路对孔子所创立的儒家思想做了进一步的拓展。在孔子标举出"仁"作为礼乐制度的内在根据与普遍的人之本性的基础上,孟子进一步突显了"心"作为人的道德活动之内在动源的地位和作用,奠定了儒家心学的基本学理规模。他从恻隐之心、羞恶之心、辞让之心、是非之心等人心之端倪来论说人的本善之性,进一步强调了仁义礼智之性既是"天之所与",又是"我固有之"的。他强调只有通过不停顿地做内省等向内开拓的功夫,才能存养并扩充善端,而最终成圣成贤。在此基础上,孟子在社会政治方面提出了"以不忍人之心行不忍人之政"的仁政思想、"仁者无敌"的王道思想与民贵君轻的民本思想,虽然被世人目为"迂远而阔于事情",但却在一个霸道横行、"杨墨之言盈天下"的时代承续、坚守并光大了儒家思想,将孔子与儒家的旗帜显扬于当世。

荀子(约公元前 313 年—公元前 238 年),名况,字卿,战国末期赵人,时人尊称"荀卿"。西汉时因避汉宣帝刘询讳,而"荀"与"孙"二字古音相通,故又称孙卿。曾三次出任齐国稷下学宫的祭酒即学宫之长,后为楚兰陵(位于今山东兰陵县)令,并卒于此。有《荀子》三十篇传世。

如果说孟子主要是发展了孔子所创立的儒家思想的"内圣"即自我德性修养的一面,作为一个颇具理性精神的现实主义者,荀子则堪称以外在化与制度化的进路,发展了儒家思想的"外王"即获取事功与建章立制的一面。不同于孟子在孔子之"仁"的基础上依然突显"义"的内在性,荀子则更为注重社会性的"礼"与"法"。荀子从人之"饥而欲饱,寒而欲暖,劳而欲休"的自然本性出发来看待人性,认为顺从人的本性必然陷入争夺与纷乱,因而人性并非如孟子所言是"善"的,而恰恰是"恶"的。因此,要改变"恶"的人性,达到儒家所揭明的成圣成贤的目标,靠孟子所说的向内的自我修养是根本做不到的。只有以圣人所制定的"礼义法度"为自我行为的准绳,通过后天的道德教化,才能使"涂之人可以为禹"或者说让普通人变成大禹一样的圣人。由此"隆礼重法"成为荀子儒家思想的基本骨干。当然,尽管荀子与孟子之间在具体的理论主张上有上述不同,但在认为人的终极价值就是成圣成贤这一点上,两人又保持了高度的一致。正因为此,他们不仅归根结底都是儒家,而且相反相成地分别发展了孔子思想的"内在"面相与"外在"面相,在孔子思想的基础上共同确立了儒家思想基本的学理规模。

同孟子一样,荀子也是承续并光大儒家思想的先秦儒家重镇。他不仅从一个侧面拓展了孔子的相关思想,而且在儒家经典的传授方面做出了重要的历史贡献。他立足于儒家的基本立场而对道家等其他学说的吸纳与融汇,对于其后儒学的进一步开展事实上发挥了重要的积极作用。荀子的思想透过其两个著名的学生李斯、韩非而对于中国传统政治制度的确立产生了重要影响。

二、儒学的尊崇与制度的建构

战国晚期至汉初,随着历史的剧变,中国思想文化界也发生了迅猛而巨大的变化。在这一过程中,儒学也几度沉浮,由显学而遭到打压,却又很快在多元思想资源的碰撞激荡中获得"独尊",并制度化地确立起在指导社会与人生方面的主导地位。

正如大家所知道的,李斯、韩非虽然是荀子的学生,但却并没有成为儒家,而是成为了法家。如果说儒家的基本立场是重"德"的话,法家则尚"力"——不仅不重"德"而且甚至公开鄙视儒家之"德"。受李斯、韩非的影响,当时秦国的国君嬴政实行以"耕战"即发展农业生产和提升军事力量为中心的国策,迅速增强了自己的国力,通过兼并战争而以霸道威加海内、一统天下。这本身就堪称对倡导仁政王道的儒家思想的严峻挑战。这一时期儒家所遭受到的困厄还不仅止于此。为了进一步稳固自己的统治,已经成为秦朝第一个皇帝即秦始皇的嬴政接受时任丞相的李斯的建议,焚毁了民间的《诗》、《书》等儒家经典,坑杀了诽谤始皇的儒士四百余人,史称"焚书坑儒"。儒学的发展走向了低谷。

一味尚力重刑并没有能够长久维持秦朝的统治,仅仅十五年后,大秦帝国就被一帮揭竿而起的民众推翻了。经过几年的楚汉相争,刘邦最终战胜了项羽,成为汉高祖。尽管前朝博士孙叔通依据儒家的礼制所制定的朝仪让高祖切实享受到了做皇帝的威严与乐趣,但他却没有能够说服高祖确立儒家为大汉的统治思想。与汉初休养生息的社会需要相适应,在思想文化方面占主导地位的是崇尚清静无为的黄老之学。直到汉武帝时代,当世大儒董仲舒三上《举贤良对策》,主张凡不属于六艺的科目、不属于孔子的道术的都一律禁绝,不使其齐头并进,以使邪僻的学说灭息,使统一的纲纪得以建立、法度得以彰明,使人民知道遵从的规范。董仲舒的主张为汉武帝所接纳,儒学的处境由此逐渐得到了根本的改变。尽管董仲舒究竟是否提出了"罢黜百家,独尊儒术"的主张的确是一个可以讨论的问题,但正如班固所说的,董仲舒的"对策"的确包含了"推明孔氏,抑黜百家"的取向,这应当是可以肯定的。以董仲舒等为代表的汉儒通过吸纳道家、法家与阴阳家的思想,把儒家思想发展到了新的历史阶段。

概括而言,儒家思想在汉代至少发挥了以下三方面的重要作用:

第一,作为主流意识系统,对整个国家的基本施政方略发挥了基本的规范与指导作用。从此以后,倡导仁政与德治、强调民贵君轻就成为历代统治者公开标举的施政宗旨。尽管中国传统的现实政治没有也不可能成为儒家所倡导的单纯的德治,但德治不仅在一定程度上对纯任法家之法、术、势的强横政治多少起到了一种缓冲、制衡作用,而且还为一些真正心仪并力图实现儒家之德治理想的贤明君主提供了理想的蓝图,同时也为一些既为真儒也是"具臣"的仁人志士"为官一任、造福一方",通过实行德治教化从而"解民倒悬"提供了基本的思想资源,营造了基本的社会氛围。

第二,初步建立了官方化、制度化的儒学教育系统,扩大了儒学在社会生活中的整体影响。儒学在汉代的基本形态是经学。两汉不仅设立了五经博士,而且中央有太学,各郡国亦皆有学校,成为国家培养政治人才的官立学校系统。不仅儒家经典成为这些学校的基本教材,而且这些学校的学生学习经典经考试合格后即可充任各级官员。这就不仅以制度化的形态确立了官方化的儒学教育系统,而且持续地扩大了儒学在社会生活中的整体影响,对于儒家经学的传承与兴盛、儒家思想的传播与发展,对于以儒家思想来规范以儒士为基础的社会大众的生命存在形态、以儒家思想来教化民众以凝聚社会共识,均发挥了重要的历史作用。

第三,初步确立了中国传统社会的"核心价值观",对塑造中华民族的价值取向、思维方式、行为方式乃至民族性格、社会习俗产生了深远影响。作为人类精神的外化,文化的核心是价值系统,而"核心价值观"则构成了价值系统的内核,堪称文化核心中的核心。任何一个成熟的文化系统都有其具有自身特色的核心价值观。中华文化作为人类文化的主流传统之一,其传统的核心价值观正是在长期积淀的基础上,在汉代以儒学为基础确立的,这就是"三纲五常"。早在先秦时代,作为人伦之基本的君臣、父子与夫妇关系就受到了儒家的广泛关注,如孔子就做出过"君君臣臣,父父子子"的论说。人之所以为人的基本伦常要求同样也是儒家讨论的重要问题,如孟子就集中对"仁义礼智"做出过专门的论述。在汉代,经董仲舒的提倡,到东汉章帝建初四年(公元79年)的白虎观会议,"三纲五常"即"君为臣纲,父为子纲,夫为妻纲"和"仁义礼智信"五德终于被正式列入国家法典,标志着中国传统社会"核心价值观"的初步确立。尽管"三纲五常"在历史上所实际起到过的作用的确是多面相的、复杂的,我们今天站在现代的立场更可以对"三纲五常"特别是"三纲"提出见仁见智的批评,但无论如何应当承认,自汉代以至清末二千年的历史长河中,"三纲五常"作为中国传统社会之核心价值的地位一直得到了延续,对于塑造中华民族的价值取向、思维方式、行为方式乃至民族性格、社会习俗产生了深远影响,这同样也是历史的事实。

宋明理学:儒学的精致化与影响的国际化

经过自先秦至两汉在学理规模与制度建构两方面的开展,本来作为先秦诸子之一的儒学终于被尊崇为"经学",成为中华文化的主流传统。但这并不意味着此后儒学的发展就是一帆风顺的。由于中国传统社会的动荡不安,由于佛教、道教等多元思想的挑激,也由于儒学在成为经学后自身的开展陷入了迟滞乃至停顿,儒学中经魏晋南北朝时代,在隋唐处于全盛时期的佛学的强烈冲击下面临了"儒门淡薄,收拾不住"的困境。中唐以来,经韩愈倡发"道统说"与李翱提出"复性说",儒学的复兴提上了议事日程。经宋、明时期以周敦颐、邵雍、张载、程颢、程颐、朱熹、陆九渊、王阳明等为代表的儒者的艰苦努力,终于以儒学为主体而融合汇通了佛、道,通过"三教合一"而将儒家思想发展到了宋明理学的新阶段,在"儒学三期"中被称为"第二期儒学"。在长期发展的过程中,儒学走出国门,走向东亚,成为影响传统东亚社会的重要思想因素;宋明理学形成之后,儒学在明朝中后期更是通过耶稣会士传到欧洲,对于启蒙时代的欧洲亦发生了多方面的重要影响。

一、儒家形上智慧的显发

宋明理学又称道学、宋明新儒学,指宋明时代占主导地位的儒家思想体系。不同于汉儒治学重名物训诂,宋明儒则以阐释义理为主,因有"理学"之称。北宋初期,胡瑗、孙复、石介为儒学的复兴做出了贡献,人称宋初"三先生"。此后出现了王安石荆公学派、司马光温公学派、三苏蜀学等流派。理学实际创始人周敦颐、邵雍、张载、二程兄弟（程颢、程颐）被称为"北宋五子"，分别创立了濂、关、洛等学派。至南宋朱熹建立了"致广大，尽精微，综罗百代"的理学思想体系。因其讲学于福建，而被称为"闽学"。濂洛关闽，并称理学四派。南宋心学的代表是陆九渊，至明代王阳明进一步发展充实了儒家心学。宋明理学所依据的儒家经典主要是《论语》、《孟子》、《大学》、《中庸》"四书"，与汉唐儒学主要依据《诗》、《书》、《礼》、《易》、《春秋》"五经"形成对比。宋明理学讨论的问题主要有：理、气、心、性，天命之性、气质之性，义、利，天理、人欲，格物、致知，主敬、涵养，知、行，已发未发、道心人心等。一般把宋明理学分为三派：以程颐、朱熹为代表的理学；在程颢思想中已有端倪，以陆九渊、王阳明为代表的心学；以张载为代表的气学。就其主流思潮而言，宋明理学的代表人物的确可以概括为"程朱陆王"。但倡导气学的张载也是不能轻忽的重要思想家。他所提出的"为天地立心，为生民立命，为往圣继绝学，为万世开太平"的"横渠四句"，鲜明地表现了儒者"民胞物与"的仁者气象与天地情怀，成为历代仁人志士千古传诵的名言佳句。

与先秦至两汉的第一期儒学相比，第二期儒学之所以为宋明"新"儒学的一个重要方面，就在于通过立足于儒学的基本立场吸纳与融汇佛学与老庄道家的思想资源，显发了儒学的形上智慧，实现了儒学义理的精致化。应当说，作为"天人之学"，关联于超越的天道、以人之践形成德为中心来展开学理规模是儒学自孔孟时代起就已经奠立的基本精神方向，孔子"吾十有五而志于学，三十而立，四十而不惑，五十而知天命，六十而耳顺，七十而随心所欲不逾矩"的学思历程显示了这一点，孟子更是直接指明了"尽心知性以知天"的思维理路。但是在先秦与两汉时期,儒学的重心乃是落在"修身齐家治国平天下"的人伦、家国层面,或曰个体生命与群体生命的现实层面,而非其超越层面。只有在经历了具有东方特色的外来宗教——印度佛教的长期挑激、经过宋明新儒家数百年的不懈努力之后,儒家价值系统"内在而超越"的理路才较为充分地得到显发,人道与天道、形下世界(现实世界)与形上世界(超越世界)之贯通才最终得以完成,儒家的超越精神亦由之得到较为充分的体现。

宋明新儒家之所以能够创立这样的思想体系,一方面与对孔孟儒家的基本理论立场的继承与持守分不开,另一方面也是由于较好地吸收了老庄道家特别是佛学的思想资源而为儒学所用。在中国本土的思想系统中,如果说孔孟荀等原始儒家所注重的是通过人道的深入开拓而"上达"天道,老子、庄子等原始道家则更为注重从天道"下观"人道,从而体现了更多的超越精神。这也是荀子在《非十二子》中明确批评庄子"蔽于天而不知人"的基本原因。而从西土印度传入的佛教,不仅习惯于在过去、现在与未来"三世"框架中紧扣人生的终极解脱来思考宇宙、社会与人生的意义问题,而且表现出了鲜明的思辨性。为了面对佛、道的挑战而超胜之,许多宋明理学家均出入佛老几十年,并在新儒学的创立中自觉不自觉地吸收了佛老的思想资源。作为宋明理学的开山鼻祖,周敦颐借以显发其形上智慧的"太极图"就源自于道教。同样,"理一分殊"、"明心见性"等理学的重要命题也显然可以与禅宗的智慧精神相互发明。当然,作为一种归根结底既区别于佛道也不尽同于孔孟儒学的"新儒学",其核心观念则是由宋明理学家自己创发出来的。正如二程兄弟所指出的:"吾学虽有所授受,天理二字,却是自家体贴出来。"宋明理学的一个基本特色正在于:在指点出理或天理作为宇宙万物与社会人生之超越本体的同时,亦充分肯定了宇宙万物与社会人生本身的真实无妄,并力图在体认的基础上以思辨的进路达成二者的联接。

二、儒学影响的国际化

在传统社会中,随着自身的不断发展,儒学曾经两度走出国门,走向世界,产生了重要的国际影响。

儒学对于包括朝鲜半岛、越南与日本在内的周边地区的影响,历时久远。根据朱仁夫等学者的研究,儒学传入朝鲜半岛,至今已有两千年历史。两千年分三个阶段:第一个阶段,中国的汉唐时期,儒学的经学传人朝韩,其中《诗》、《书》、《礼》、《易》、《春秋》五经于公元 1 世纪传入,读经、释经、注经等成为儒学传播的主要形式;第二个阶段,中国的宋元明时期,儒学以理学为代表传人朝韩;第三个阶段,中国清朝以后,朝韩儒学由性理学转入阳明学、实学。越南北方与中国南方山水相连,秦汉至隋唐,长期为中国属地,"威仪共秉周公礼,学问同遵孔氏书",儒学教育、科举取士,一任汉制,儒学浸润长久。10 世纪正式立国后,也同样尊崇儒学,长期奉孔孟学说为政教准则。有史料记载的儒学最早传入日本,是405 年韩朝三国时代的百济五经博士王仁,携带《论语》十卷和《千字文》一卷,东渡日本传授儒学。此后儒学传日,经历了先秦原典的输入、汉唐经学的植被、宋元理学的播扬、明清实学的推及等阶段。在传统东亚社会,朝鲜半岛、越南与日本均曾经长期使用汉字,朝鲜、越南都曾仿效中土设立五经博士,日本大化革新后成立的作为官立最高学府又是全国最高教育领导机构的大学寮,也设置博士教授经学,并以《孝经》、《论语》、《周易》、《尚书》、《周礼》、《仪礼》、《礼记》、《毛诗》、《春秋左氏传》等九经为教材。伴随着广泛传播而来的,是儒学在政治生活、社会生活、家庭生活的方方面面均对传统的东亚(以及越南)产生了深刻影响,以至于不仅在比较文明的视野中今天西方思想文化界依然习惯于将东亚地区视为广义的"儒家文化圈",而且日本已故著名学者岛田虔次教授甚至于做出了儒家思想深刻影响传统东亚社会的意义不亚于马丁•路德之新教改革的论断。

儒学对于欧洲的影响,则主要发生在 17、18 世纪。16 世纪中叶后,随着利玛窦等耶稣会士往返于中国与欧洲之间,在把基督教与当时已得到初步发展的科学技术传入中国的同时,也将中华文明带回欧洲,出现了"东学西渐"即东方的中华文明西传欧洲的热潮。欧洲曾经刮起了"中国风",出产于中国的丝绸、瓷器与茶叶风靡一时,当时欧洲的上层人物均以穿中国的丝绸、品中国的茶叶与收藏中国的瓷器为时尚。在一定意义上,欧洲的现代文官制度的缘起也与当时中国科举制的影响有关。这都是以往为人们所熟知的。进而言之,中华文明在从器物与制度层面对当时的欧洲产生了广泛影响的同时,也在思想理念的层面对欧洲产生了重要影响。事实上,传教士们在把丝绸、瓷器与茶叶等出产于中国的器物带回欧洲的同时,也在不经意间多多少少把以儒家思想为主体的中华文化带回了欧洲,并在 17 至 18 世纪对启蒙时代的欧洲产生了传教士们所没有意想到的重要影响——成为启蒙思想家反对中世纪神学的助缘。

从孔孟到宋明一直为儒家所提倡的德治思想就是其中的重要内容。中国历史进入现代以来,人们正是通过与西方现代法制社会的对比,充分地认识到了儒家德治政治中"人存政举,人亡政息"的深刻弊端。然而,颇有意味的是,根据杨焕英等学者的研究,儒家德治主义却是欧洲传统社会向近现代国家制度转变的重要思想助缘。17、18 世纪,在欧洲从传统社会向现代社会转型的过程中,儒家德治思想对欧洲产生了重要影响。这种影响及于法国、德国等主要欧洲国家。法国的霍尔巴赫、狄德罗、伏尔泰、魁奈,德国的莱布尼茨、沃尔夫等当时欧洲启蒙运动的头面学者均对儒家德治主义政治思想予以了较高的评价。伏尔泰作为法国启蒙思想的领袖人物之一,认为孔子的哲学作为一套完整的伦理学说教人以德,用普遍的理性抑制人们利己的欲望,其目标是建立起和平与幸福的社会。为此他力主法国也应当以儒家之道来治理国家,实行德治主义。莱布尼茨热烈地赞美儒学,公开宣称在道德和政治方面,中国人优于欧洲人。对儒家德治主义最为推崇的当推法国百科全书派的领袖人物霍尔巴赫。霍尔巴赫反对法国和欧洲的野蛮君主专制制度,推崇孔子以德治国的政治主张。他不仅自造了一个德文的"德治"新词,而且还写了一本名为《德治或以道德为基础的政府》的书。在他看来,在中国,理性对于君主的权力,发生了不可思议的效果,建立于真理之永久性基础上的圣人孔子的道德,却能使中国的征服者,亦为所征服,而以之为政府施政的目标。由此,他把中国的政治制度理想化,认为"国家的繁荣,须依靠道德",主张"欧洲政府非学中国不可"。这些议论虽然由于主要着眼于儒家政治思想的理论层面因而难免有溢美之辞,但也的确从一个侧面反映了在欧洲启蒙思想家眼中理性而清明的儒家德治思想对欧洲思想界的重要借鉴意义。

正如儒家德治主义所显示的,以宋明理学为主体的中国哲学之所以能够对于启蒙时代的欧洲产生影响,一个重要的原因在于:当时欧洲思想界的时代任务是冲破神的笼罩,而确立人之所以为人的自主性;而以宋明理学为主体的中国哲学归根结底是以"人"为中心而无"神"的。正如早在 20 世纪40 年代就出版了《中国思想对于欧洲文化之影响》一书的朱谦之教授所指出的,最可注意的,就在当时的宗教家,除耶稣会士以外,均注意中国哲学和欧洲的不同,中国哲学是无神论的,基督教是有神论的,而在一般知识阶级,则即以此不同于基督教之"理学",来作为启蒙运动的旗帜。

现代儒学:困顿、复苏与走向世界

在经历了宋明理学这一传统儒学的高峰之后,儒学再一次逐渐陷入了衰落,以至于进入近现代,在西方现代文化的强烈冲击下,儒学甚至一度被认为已经彻底地退出了历史舞台。随着时代的发展,儒学终于冲破了长期的困顿,迎来了新的发展机遇,重新走向复苏。正是历尽艰难曲折后,儒学在 20 世纪走向了世界。

一、西学东渐与现代新儒家的兴起

宋明理学在实现了儒学义理的精致化、显发了儒学的形上智慧与超越精神的同时,也产生了浮谈无根、脱离现实的流弊,以至于在明末出现了一些儒士"平时袖手谈心性,临危一死报君王"的情况。明朝灭亡后,以顾炎武、黄宗羲、王夫之等为代表的明清之际"三大儒"对宋明理学"内圣强"、"外王弱"的问题做出了沉痛反思,大力倡导"经世致用",力图为儒学面向未来的发展开出新的方向。清朝建立之后,由于统治者对知识分子采取了高压政策,由于大兴文字狱而使得知识分子对儒学义理的探讨心有余悸而自觉不自觉地避入故纸堆中,也由于经过从宋到明几百年的发展,要对儒家义理见仁见智的各种理解做出裁断也需要重新回到经典本身,清代儒学出现了考据学的转向,对古籍加以整理、校勘、考订、注疏、辑佚(即对以引用的形式存在于其他存世文献中的已失传的文献加以搜集整理,以使之得以恢复或部分恢复)等成为儒士群体所从事的主要工作。由于清代考据学不同于宋明理学的精研义理而与注重名物训诂的汉代经学有着更多的类似之处，因而又有"汉学"之称。其鼎盛时期是在乾隆、嘉庆年代，主要代表人物有戴震、章学诚等。清代考据学在儒家经典的全面整理方面取得了空前的成就，其所倡导的"实事求是"的为学宗旨亦有重要意义，但由于不切实际而不能"明道救世"，因而随着时间的推移，只能是逐渐走向衰落。儒学也因此陷入停滞和僵化。

而此时的欧洲，则是启蒙运动蓬勃兴起，工业革命初步完成，资本主义得到迅猛发展的时期。正是在中西双方力量的此消彼长中，资本主义的世界性扩张终于把当时的清王朝推向了风口浪尖。1840 年鸦片战争的爆发，标志着当时的中国作为一个独立的主权国家已经不复存在，而是陷入了半封建、半殖民地的泥淖之中。伴随着中国社会的逐渐沉沦，伴随着国门大开后"西学东渐"即西方现代文化的大量传入，作为传统中国主流意识形态的儒学则是不断衰败。如果说，鸦片战争期间士大夫所谓"道之大原在于天，天不变道亦不变"的保守可以看做要从理念到制度再到器物整体持守中国文化的最后抗争，"师夷长技以制夷"和早期的"中体西用"论则已经不得不承认西方在器物层面对以儒学为主导的中国传统文化的优越性；戊戌变法的领导者康有为主张对当时中国的制度"统筹全局而全变之"，则事实上已经表现出了在制度层面一切"悉从泰西"的价值取向；经过五四新文化运动对中国文化的全盘反省和批判之后，作为五四新文化运动领导人之一的胡适得出了中国文化与西方文化相比"百不如人"的结论，则表明西方文化的冲击已经深入到了中国文化精神理念层面。在这样的时代背景下，儒学不仅被国人视为使得传统中国社会积贫积弱的罪魁祸首，而且被看做中国社会与文化现代转型的障碍与阻力，因而其被"打倒"的现代命运就是难以避免的了。

　　然而，就是在这样艰苦卓绝的生存境遇中，儒学依然表现出了自己坚韧顽强的生命力。这其中的一个鲜明的表现，就是在儒学面临存亡续绝的历史关头，一批仁人志士冲破重重阻力，坚心要以儒家的现代传人自任，一力承担起在现代社会中延续儒家香火的历史责任。正是在反孔批儒的狂潮怒涛之中，现代新儒家的开山鼻祖梁漱溟在五四新文化运动的中心北京大学举起了"尊孔"的大旗，明确宣称将来人类文化的发展走向就是以儒家为代表的中国文化的复兴，只有孔子儒家才代表了"至美至好"的人生道路。此后一批志同道合的现代学人聚集在"新孔学"的旗帜下，逐渐形成了现代新儒家学派，成为在中国现代思想史上同中国马克思主义、自由主义西化派鼎足而立的三大思潮之一。如果说，宋明理学的一个重要的时代课题是如何立足于儒家思想来消化佛学，现代新儒学的时代课题则是如何消化西方文化而谋求儒学的现代新开展。由于西方现代文化的一个重要理论特质在于其科学理性精神，作为西方现代文化之标志的民主与科学在根本的文化精神上都可以看做科学理性精神的产物，而科学理性精神却并不是传统儒学关注的重心，因而儒学现代新开展的一个重要的关节点就是如何立足于现代理性主义的生活实体，通过借鉴西方现代文化而在儒家思想中显发出科学理性精神。迄今为止，现代新儒家已经走过了近百年的历程，经过了薪火相传的三、四代传人，取得了相当规模的理论成就。现代新儒学的代表人物，主要有第一代的梁漱溟、熊十力、马一浮、贺麟、冯友兰、张君劢、钱穆，第二代的唐君毅、牟宗三、徐复观、方东美，第三代的杜维明、刘述先、成中英、余英时、蔡仁厚等。第四代的代表阵营尚在形成过程中。

　　现代新儒学的出现，可以视为儒学现代生命力的一个缩影。在经历了长期的困厄后,随着改革开放时代的到来,儒学在中国大陆的际遇也得到了极大的改善。尽管在中国现代思想史上,儒学早就不仅不再是主流意识形态且屡遭批判与否定,但它在普通民众的社会心理、行为习惯乃至价值观念上却依然有着不可磨灭的影响。随着对中国近现代化历程屡遭挫败之原因的反省,随着对近代以来中国新文化建设之经验教训的总结反思、批判扬弃,随着改革开放后对"左"的文化观念的廓清与对作为当代中国思想之主导的马克思主义"批判继承"文化方针的深入贯彻,特别是对中国特色社会主义道路的深入探讨,国人对作为中国文化主流传统之一的儒学给予了更多的关注。由此,逐渐对传统与现代的关系问题达成了新的共识,过去曾经长期主导人们的二元对立的思维模式逐渐被突破,而代之以传统与现代双向互动的辩证思考。如何在批判扬弃的基础上创造性地转化文化传统而不是全盘否定文化传统逐渐成为人们对待传统文化更为基本的态度。20 世纪与 21 世纪之交,儒学再一次成为国人关注的中心。与此同时则是人们对待儒学的态度发生了重大的变化。与改革开放之前相比,那种将儒学简单地归结为封建文化,不遗余力地加以彻底批判与全盘否定的态度,已经不占思想文化界的主导地位。可以说,就其整体而言,面向21 世纪,国人比现代以来的其他任何时候都能更以"同情地了解"的态度来一分为二地看待儒学,不仅不再以全盘否定的态度批儒、反孔,将儒学简单地丢弃于历史的垃圾堆,而且在相当程度上认可了儒学作为未来多元文化中之一元存在的合理性。与将近一个世纪以来的反孔、批儒、避儒唯恐不及的情状形成鲜明对比,在今天,不仅有人虽然从小生长在"儒门淡薄"的社会氛围之中但却依然从自己的生命根处真诚地归宗于儒,而且以孔家的现代传人而自命甚至又成了某些人附庸"风雅"的时髦。相对于儒学坎坷而惨淡的现代命运而言,儒学的当代复兴表现出了强劲的势头。

二、源起洙泗,走向世界

历史的吊诡正在于:正是透过不绝如缕的存在际遇,儒学却走向了世界。这之所以可能,一方面是因为 20 世纪是一个全球化的时代,东西方文化的碰撞与交流成为重要的时代特征;另一方面也是因为作为中国文化的主流传统之一,儒学所具有的不同于西方文化的独特的精神特质,为其在人类文化的多元开展中展示自己内蕴的生命力提供了可能。正是在这样的时代背景下,在历史上不仅塑造了中国人的生命存在形态,而且在相当程度上影响了东亚传统社会的儒家思想,继 17、18 世纪之后,再次受到了西方的热切关注。

现代儒学或者说继原始儒学与宋明儒学之后的"第三期儒学"的走向世界,包括了儒学从其故乡主动地融入事实上以欧美为主体的现代世界。颇有意味的是,现代新儒学三代人的发展,正呈现为一个从儒学故乡中国大陆向港台以及西方逐渐扩散的过程。以梁漱溟等为代表的的第一代现代新儒家兴起、发展于中国大陆。1949 年后,以唐君毅、牟宗三、徐复观、方东美等为代表的第二代现代新儒家主要活动于香港与台湾。而杜维明、刘述先、成中英、余英时等第三代现代新儒家的主要人物则不仅均经过了一个深入西方文化的核心而归宗于儒学的思想历程,而且均有多年在美国求学与执教的经历,这同时也就事实上把现代新儒学带到了西方。在今天,由中国与全球范围内的不少国家共同兴办的孔子学院已达 400 多所。尽管孔子学院的功能明确地定位为汉字教学,但无论如何,它都可以视为孔子与以儒学为代表的中国文化已经走向世界的一个重要表征。

现代儒学的走向世界也体现为儒学在西方产生了重要影响。在今天的西方,不仅有着力于阐发以儒家思想为代表的中国文化对于人类文化的普遍性意义者,而且还出现以"儒家"自任者。英国著名历史学家汤因比(Arnold Joseph Toynbee)通过历史考察与分析比较,不仅充分肯定中国文明具有温厚典雅、追求正义与自由等优长,而且对中国文明历二千余年而依然保持文明性质的一贯性这一特质给予了极高的评价。在他看来,现代文明正面临着核武器、资源枯竭、环境污染、人口爆炸性增长等一系列危机和挑战。作为西方文化的发祥地,欧洲文化最显著的特点是充满活力,但这并不足以导引人类走出危机,因为西欧的活力会导致分裂,而不能促成稳定和统一。在他看来,将来统一世界的大概不是西欧国家,也不是西欧化的国家,而是中国,"因为中国有担任这样的未来政治任务的征兆"。正是以中国文明为主体的东亚留下的宝贵遗产、中华民族的"世界主义"精神以及中华民族的美德,足以使其成为全世界统一的"地理和文化上的主轴"。因此,中国不仅是二千多年来一直影响"半个世界"(指东亚)的中心,而且正是它,将给整个世界"带来政治统一与和平的命运"。应该说,汤因比的这种认识在西方并不是绝无仅有的。1988 年,在法国巴黎召开的一次世界性会议上,数十位诺贝尔奖获得者在达成共识的基础上,发出了与汤因比相类似的呼吁:"如果人类要在 21 世纪生存下去,必须回头 2540 年,去吸收孔子的智慧。"如果说汤因比们还主要是在学理层面肯定儒学的话,那么,作为"波士顿儒学"代表的罗伯特·南乐山(Robert Neville)和约翰·白诗朗(John Berthrony)则明确地以"儒家"自任。根据蔡德贵教授等的研究,作为美国波士顿大学神学院院长和副院长,通过多年来的努力,南乐山和白诗朗不仅已把波士顿大学神学院建构为

"在北美神学界发展儒家论说的道场",而且明确宣称"自己就是儒家"。

据《礼记》记载,曾子与子夏曾有"吾与女事夫子于洙泗之间"之语。儒家的确源于"洙泗之间",经历代仁人志士的精心培护,最终汇成涛涛江河,泽润了东亚,走向了世界。2014 年 9 月 24 日,习近平总书记出席"纪念孔子诞生 2565 周年国际学术讨论会"并发表重要讲话。他指出:孔子创立的儒家学说以及在此基础上发展起来的儒家思想,对中华文明产生了深刻影响,是中国传统文化的重要组成部分;儒家思想同中华民族形成和发展过程中所产生的其他思想文化一道,记载了中华民族自古以来在建设家园的奋斗中开展的精神活动、进行的理性思维、创造的文化成果,反映了中华民族的精神追求,是中华民族生生不息、发展壮大的重要滋养;研究孔子、研究儒学,是认识中国人的民族特性、认识当今中国人精神世界历史来由的一个重要途径;儒学本是中国的学问,但也早已走向世界,成为人类文明的一部分;中华文明,不仅对中国发展产生了深刻影响,而且对人类文明进步作出了重大贡献。听着总书记的讲话,回想儒学艰难曲折而又波澜壮阔的历史进程,我不禁心潮起伏,为儒学在闯过了又一次"儒门淡薄,收拾不住"的关口后获得新的发展机遇而欢欣鼓舞。应当有理由相信,随着中华民族的现代复兴,随着中国特色社会主义事业的不断推进,儒学的明天一定会更加充满生机与活力,儒学一定能够在当今中国乃至世界发挥更为积极的建设性作用!

原典选读

孔子生鲁昌平乡陬邑。其先宋人也,曰孔防叔。防叔生伯夏,伯夏生叔梁纥。纥与颜氏女野合而生孔子①,祷于尼丘得孔子。鲁襄公二十二年而孔子生。生而首上圩顶②,故因名曰丘云。字仲尼,姓孔氏。

丘生而叔梁纥死,葬于防山。防山在鲁东,由是孔子疑其父墓处,母讳之也。孔子为儿嬉戏,常陈俎豆,设礼容③。孔子母死,乃殡五父之衢,盖其慎也。陬④人袂父之母诲孔子父墓,然后往合葬于防焉。

......

孔子年十七,鲁大夫孟厘子病且死,诫其嗣懿子曰:"孔丘,圣人之后,灭于宋。其祖弗父何始有宋而嗣让厉公。及正考父佐戴、武、宣公,三命兹益恭,故鼎铭云:'一命而偻,再命而伛,三命而俯,循墙而走,亦莫敢余侮。饘于是,粥于是,以餬余口。'⑤其恭如是。吾闻圣人之后,虽不当世,必有达者。今孔丘年少好礼,其达者欤?吾即没,若必师之。"及厘子卒,懿子与鲁人南宫敬叔往学礼焉。是岁,季武子卒,平子代立。

孔子贫且贱。及长,尝为季氏史,料量平;尝为司职吏而

① 据《礼记·檀弓》,孔子母亲名颜徵在,叔梁纥与颜徵在成婚时,已超过六十岁,而颜徵在年纪尚小,两人年龄相差悬殊,与当时礼法不合,故称为"野合"。

② 纡(wéi)顶:形容人头顶凹陷,中间低,四周高。圩,本指低洼地区四周的堤埂。

③ 常陈俎豆,设礼容:陈,摆设。俎豆,均为古代祭祀时盛祭品的器皿,俎为方形的,豆为圆形。设礼容,指做礼仪动作。

④ 陬:同"陬",指陬邑。

⑤ 三命:指三次加官晋爵。鼎铭:鼎上所铸的文字。偻、伛:弯腰曲背,引申为鞠躬。侮:欺侮。饘(zhān):稠粥。于是:在这个鼎中。"饘于是,粥于是":用饘、粥来勉强维持生活,意指过俭朴的生活。

畜蕃息。由是为司空。……孔子长九尺有六寸，人皆谓之"长人"而异之。……

鲁南宫敬叔言鲁君曰："请与孔子适周。"鲁君与之一乘车，两马，一竖子俱，适周问礼，盖见老子云。辞去，而老子送之曰："吾闻富贵者送人以财，仁人者送人以言。吾不能富贵，窃仁人之号，送子以言，曰：'聪明深察而近于死者，好议人者也。博辩广大危其身者，发人之恶者也。为人子者毋以有己①，为人臣者毋以有己。'"孔子自周反于鲁，弟子稍益进焉。

……

孔子年四十二，鲁昭公卒于乾侯，定公立。

……

其后定公以孔子为中都宰，一年，四方皆则之。由中都宰为司空，由司空为大司寇。

定公十年春，及齐平。夏，齐大夫黎鉏言于景公曰："鲁用孔丘，其势危齐。"乃使使告鲁为好会，会于夹谷。鲁定公且以乘车好往。孔子摄相事，曰："臣闻有文事者必有武备，有武事者必有文备。古者诸侯出疆，必具官以从。请具左右司马。"定公曰："诺。"具左右司马。会齐侯夹谷，为坛位，土阶三等，以会遇之礼相见，揖让而登。献酬之礼毕，齐有司趋而进曰："请奏四方之乐。"景公曰："诺。"于是旍旄羽袚②矛戟剑拨鼓噪而至。孔子趋而进，历阶而登，不尽一等，举袂而言曰："吾两君为好会，夷狄之乐何为于此！请命有司！"有司却之，不去，则左右视晏子与景公。景公心怍，麾而去之。有顷，齐有司趋而进曰："请奏宫中之乐。"景公曰："诺。"优倡侏

---

① 毋以有己：忘掉自己。
② 旍旄羽袚："旍"，同"旌"，五色羽毛装饰的旗子；"旄"，用牦牛尾装饰的旗子；"袚"，蛮夷之衣。

儒为戏而前。孔子趋而进,历阶而登,不尽一等,曰:"匹夫而营惑诸侯者罪当诛! 请命有司!"有司加法焉,手足异处。景公惧而动,知义不若,归而大恐,告其群臣曰:"鲁以君子之道辅其君,而子独以夷狄之道教寡人,使得罪于鲁君,为之奈何?"有司进对曰:"君子有过则谢以质,小人有过则谢以文。君若悼①之,则谢以质。"于是齐侯乃归所侵鲁之郓、汶阳、龟阴之田以谢过。

......

定公十四年,孔子年五十六,由大司寇行摄相事……与闻国政三月,粥羔豚者弗饰贾②;男女行者别于涂;涂不拾遗;四方之客至乎邑者不求有司,皆予之以归。

齐人闻而惧,曰:"孔子为政必霸,霸则吾地近焉,我之为先并矣。盍致地焉?"黎鉏曰:"请先尝沮③之;沮之而不可则致地,庸迟乎!"于是选齐国中女子好者八十人,皆衣文衣而舞康乐,文马三十驷,遗鲁君。陈女乐文马于鲁城南高门外,季桓子微服往观再三,将受,乃语鲁君为周道游,往观终日,怠于政事。子路曰:"夫子可以行矣。"孔子曰:"鲁今且郊,如致膰乎大夫④,则吾犹可以止。"桓子卒受齐女乐,三日不听政;郊,又不致膰俎于大夫。孔子遂行,宿乎屯。而师己送,曰:"夫子则非罪。"孔子曰:"吾歌可夫?"歌曰:"彼妇之口,可以出走;彼妇之谒,可以死败。盖优哉游哉,维以卒岁!"师己反,桓子喟然叹曰:"夫子罪我以群婢故也夫!"

---

① 悼:悔愧。
② 粥羔豚者弗饰贾:粥,同"鬻"(yù),卖;饰,这里指虚报;贾,同"价"。
③ 沮:阻止、败坏。
④ 鲁今且郊,如致膰乎大夫:郊,在南郊祭天。膰,祭祀用的烤肉。按照当时礼制,祭祀束后应将所用烤肉分送大臣以示对大臣的尊重。

......

孔子之去鲁凡十四岁而反乎鲁。

鲁哀公问政,对曰:"政在选臣。"季康子问政,曰:"举直错诸枉,则枉者直。"康子患盗,孔子曰:"苟子之不欲,虽赏之不窃。"然鲁终不能用孔子,孔子亦不求仕。

孔子之时,周室微而礼乐废,诗书缺。追迹三代之礼,序书传,上纪唐虞之际,下至秦缪,编次其事。曰:"夏礼吾能言之,杞不足征也。殷礼吾能言之,宋不足征也。足,则吾能征之矣。"观殷夏所损益,曰:"后虽百世可知也,以一文一质。周监二代,郁郁乎文哉。吾从周。"故书传、礼记自孔氏。

孔子语鲁大师:"乐其可知也。始作翕如,纵之纯如,皦如,绎如①也,以成。""吾自卫反鲁,然后乐正,雅颂各得其所。"

古者诗三千余篇,及至孔子,去其重,取可施于礼义,上采契后稷,中述殷周之盛,至幽厉之缺,始于衽席②,故曰"关雎之乱以为风始,鹿鸣为小雅始,文王为大雅始,清庙为颂始"。三百五篇孔子皆弦歌之,以求合韶武雅颂之音。礼乐自此可得而述,以备王道,成六艺。

孔子晚而喜易,序象、系、象、说卦、文言。读易,韦编三绝③。曰:"假我数年,若是,我于易则彬彬矣。"

孔子以诗书礼乐教,弟子盖三千焉,身通六艺者七十有二人。

......

---

① 始作翕如,纵之纯如,绎如:翕如,配合一致。纵,放开。纯如,和谐。皦如,清晰。绎如,余音袅袅。

② 衽席:本是床席,这里借指男女夫妇关系和情感。

③ 韦编三绝:韦,熟牛皮条。因古代书籍写在竹木简上,故需用熟牛皮条串连起来。三绝,多次断开;三,其言多也。

鲁哀公十四年春,狩大野。叔孙氏车子鉏商获兽,以为不祥。仲尼视之,曰:"麟也。"取之。曰:"河不出图,雒不出书,吾已矣夫!"颜渊死,孔子曰:"天丧予!"及西狩见麟,曰:"吾道穷矣!"喟然叹曰:"莫知我夫!"子贡曰:"何为莫知子?"子曰:"不怨天,不尤人,下学而上达,知我者其天乎!"

……

子曰:"弗乎弗乎,君子病没世而名不称焉。吾道不行矣,吾何以自见于后世哉?"乃因史记作春秋,上至隐公,下讫哀公十四年,十二公。据鲁,亲周,故殷①,运之三代。约其文辞而指博。故吴楚之君自称王,而春秋贬之曰"子";践土之会实召周天子,而春秋讳之曰"天王狩于河阳":推此类以绳当世。贬损之义,后有王者举而开之。春秋之义行,则天下乱臣贼子惧焉。

孔子在位听讼,文辞有可与人共者,弗独有也。至于为春秋,笔则笔,削则削,子夏之徒不能赞一辞。弟子受春秋,孔子曰:"后世知丘者以春秋,而罪丘者亦以春秋。"

明岁,子路死于卫。孔子病,子贡请见。孔子方负杖逍遥于门,曰:"赐,汝来何其晚也?"孔子因叹,歌曰:"太山坏乎!梁柱摧乎!哲人萎乎!"因以涕下。谓子贡曰:"天下无道久矣,莫能宗予。夏人殡于东阶,周人于西阶,殷人两柱间。昨暮予梦坐奠②两柱之间,予始殷人也。"后七日卒。

孔子年七十三,以鲁哀公十六年四月己丑卒。

……

孔子葬鲁城北泗上,弟子皆服三年。三年心丧毕,相诀而去,则哭,各复尽哀;或复留。唯子赣庐于冢上,凡六年,然

---

① 据鲁,亲周,故殷:以鲁国为中心记述,奉周王室为正统,并以殷朝的旧制作借鉴。

② 坐奠:坐着受人祭奠。

后去。弟子及鲁人往从顷而家者百有余室，因命曰孔里。鲁世世相传以岁时奉祠孔子冢，而诸儒亦讲礼乡饮①大射于孔子冢。孔子冢大一顷。故所居堂弟子内，后世因庙藏孔子衣冠琴车书，至于汉二百余年不绝。高皇帝过鲁，以太牢②祠焉。诸侯卿相至，常先谒然后从政。

……

太史公曰：诗有之："高山仰止，景行行止。"虽不能至，然心向往之。余读孔氏书，想见其为人。适鲁，观仲尼庙堂车服礼器，诸生以时习礼其家，余祇回留之不能去云。天下君王至于贤人众矣，当时则荣，没则已焉。孔子布衣，传十余世，学者宗之。自天子王侯，中国言六艺者折中于夫子，可谓至圣矣！

——节选自司马迁《史记·孔子世家》

太史公曰：余读孟子书，至梁惠王问"何以利吾国"，未尝不废书而叹也。曰：嗟乎，利诚乱之始也！夫子罕言利者，常防其原也。故曰"放于利而行，多怨"。自天子至于庶人，好利之弊何以异哉！

孟轲，邹人也。受业子思之门人。道既通，游事齐宣王，宣王不能用。适梁，梁惠王不果所言，则见以为迂远而阔於事情。当是之时，秦用商君，富国强兵；楚、魏用吴起，战胜弱敌；齐威王、宣王用孙子、田忌之徒，而诸侯东面朝齐。天下方务于合从连衡，以攻伐为贤，而孟轲乃述唐、虞、三代之德，是以所如者不合。退而与万章之徒序《诗》《书》，述仲尼之意，作《孟子》七篇。

……

---

① 乡饮：行乡学业考校的饮酒礼。
② 太牢：指古代帝王牛羊猪三牲全备的祭祀。

荀卿，赵人。年五十始来游学于齐。……田骈之属皆已死齐襄王时，而荀卿最为老师。齐尚修列大夫之缺，而荀卿三为祭酒焉。齐人或谗荀卿，荀卿乃适楚，而春申君以为兰陵令。春申君死而荀卿废，因家兰陵。李斯尝为弟子，已而相秦。荀卿嫉浊世之政，亡国乱君相属，不遂大道而营于巫祝，信禨祥，鄙儒小拘，如庄周等又猾稽乱俗，于是推儒、墨、道德之行事兴坏，序列著数万言而卒。因葬兰陵。

——节选自司马迁《史记·孟子荀卿列传》

仁的豁显

在对儒家思想产生、发展的历史做了概要回顾后，接下来我们将从几个方面对儒学的基本精神做出阐释。上文已经指出，儒学之所以为儒学，首先在于孔子赋予了"仁"以新的含义，确立了"仁"对于周初创制的礼乐文化之形式规范背后的根源性意义，从而奠定了礼乐文化的人性基础，并对中国文化与中华民族的生命存在形态产生了久远而深刻的影响。因此，本书对儒学基本精神的阐释就从"仁"开始。需要指出的是，由于仁在儒家思想系统中居于核心地位，与儒学义理的方方面面均有密切联系,对此做出全面的阐述显然不是本部分所能完成的任务。本部分只是围绕"何谓仁"、"人如何体现仁"这样两个方面的基本问题进行讨论,以为对儒学义理的进一步展开做出必要的铺垫。"仁乃人之本性"的问题,本来也是应该在这里讨论的,但由于这一问题显然与儒家所素重的"人禽之辨"相关联,为了更为集中论题,故将其并入后面的相关内容中加以论述。

仁者爱人

谈到"仁",首先的一个问题自然是"何谓仁"或者说"仁是什么"。在儒家思想中,对这一问题最广为人知的回答就是"仁者爱人"。

一、自爱与爱他

上文已经指出,"仁"并不是孔子的发明,在孔子之前,《尚书》和《诗经》中就已出现了"仁"字。在《尚书》中有"予仁若考,能多材多艺,能事鬼神"的说法,意思是周公肯定周人不仅具有好的德行,而且多才多艺且能够敬事鬼神、先祖。《诗经》中也有 2 处出现"仁"字。《郑风》中有"洵美且仁"的说法,《齐风》中有"卢令令,其人美且仁"的说法,都是称扬他人既俊美而又怀有仁德。如果说在《尚书》和《诗经》中"仁"

还是偶尔一见的话,在《左传》和《国语》中则已大量出现。而在《论语》中,"仁"堪称成为了中心话题。正如学界早就注意到的,在《论语》一书中,"仁"字总共出现了 109 次。其中孔子直接回答学生"问仁"即问"什么是仁"这一问题的约有 9 次,此外还有 10 余次回答学生关于"如何为仁"、"某人或某行为可否被视为仁"等问题。对于这些问题,孔子做出了多种多样、丰富多彩的回答。在这些回答中,最为简明亦堪称最为切要的回答是在樊迟问仁时做出的。据《论语·颜渊》记载:"樊迟问仁。子曰'爱人'。"这也就是说,爱护他人可以视为"仁"的表现。在另外一个地方,孔子事实上是表达了同样的意思。据《论语·里仁》记载:"子曰:'唯仁者能好人,能恶人。'"这里所谓"好人"显然与"爱人"是一个意思,即爱他人。孟子则承续孔子的思想,在《孟子·离娄下》中直接做出了"仁者爱人"的论断。

那么是不是"爱他"就是"仁"呢?这个问题恐怕还有进一步追问的必要。如果说"爱他"是一个仁者对待他人的态度的话,那么一个仁者又该以怎样的态度来对待自己呢?具体而言,一个"爱他"的人,是不是会"自爱"呢?对这个问题,孔子虽然并没有做出直接的回答,但是我们从他的一些相关的论断中不难窥出一些端倪。比如,孔子曾经感叹"古之学者为己,今之学者为人",意思是说古代的学者做学问是为了修养自己的身心性命,而当时的学者做学问则是为了显摆给别人看;孔子有"三军可夺帅也,匹夫不可夺志也"之语,充分强调士人具有独立意志的重要性;孔子还有"志士仁人,无求生以害仁,有杀身以成仁"的说法,把儒者保持自己独立人格之重要性提到了无以复加的高度;孔子曾说过"修己以敬"、"修己以安人"、"修己以安百姓",明确把"修己"作为安顿贵族阶层以致"百姓"的基础。从这些话语中我们不难看出,孔子在强调一个儒者或君子要有自己的品行操守这一点上,不仅是"自爱"的,而且是高度自爱的。对此,《荀子·子道》中记载的一个故事完全可以做出印证。在这个故事中,孔子通过分别让他的三个亲近的高弟子路、子贡与颜渊回答"明智者怎么样,仁德者怎么样"的问题,而对他们体现出来的境界做了高下不同的评品,分别把主张"仁者使人爱己"的子路、主张"仁者爱人"的子贡和主张"仁者自爱"的颜渊称作士、士君子与明君子,表明孔子对"仁者自爱"做了高度肯定。由此我们可以得出关于儒家思想的两个相互关联的重要结论:其一,"仁者自爱"是"仁者爱人"的基础,换言之,对仁人志士而言,"自爱"是"爱他"的基础。如果说"仁者爱人"是对他人生命的肯定和培护,那么"仁者自爱"则可以视为对自我生命的肯定。在这个意义上,我们就可以把"仁"看做从对自我生命的肯定出发而生发出来的对他人生命的肯定和培护之情。这不仅是儒者积极入世的基础,而且是儒者注重自我修身的动源。其二,"自爱"是"爱他"的基础同时显示,首先挺立自我是儒家关爱他人的前提,具有独立而健全的人格构成了儒家处理与他者关系的前提,因此那种认为儒家思想因为更多地注意了"关系"而忽略了独立人格塑造的观点归根结底是站不住脚的。

二、仁乃爱之情

正像"仁者爱人"所直观表达出来的,在孔孟那里,"仁"归根结底是一种情感。孟子将"恻隐之心"即同情心视为"仁之端"即仁的根芽,也形象地说明了这一点。在这个意义上,我们说,在孔孟那里,道德情感的"沛然莫之能御"是一个人"为仁"即进行道德活动的内在的重要动力。原始儒家的这一基本立场与后来的儒者形成了相当清楚的对比。如果说董仲舒将人性区分为仁、贪二性并以贪性为情已经表现出了性善情恶的倾向,李翱则明确提出了"性善情恶"论,在强调"人之性皆善"的同时,认定"情者,性之邪也",在肯定人性善的同时,把"恶"的源头归结为"情"。在宋明理学家那里,"情"也是一个可善可恶的危险存在,所以他们多主张"节情"。孔孟儒家与其后的儒家之间存在着的上述差别,体现了更为注重"自愿"与更为注重"自觉"的不同。就人之生命的内在构成要素而言,可以区分为两大层面:一面是理性,一面是意志。意志是生命的内在驱动力,它以"行"为目标,促使人实践理想与价值,因而又总是与"德"相关联。意志又可以区分为情感与欲望两个方面。情感与欲望都注重行,是行所以可能的动力,但两者仍有不同之处:情感偏重于精神的需求而欲望则更多地代表了物质性的需要及其满足。理性是对生命活动的反省,代表了向外实现人生意义、价值理想的途径与方法。它指向"知",体现为生命的能力或力量。在开创儒家传统的过程中,孔孟等原始儒家直接将道德活动诉诸情感,而情感关联于意志,它注重的是是否愿意,也就是我们通常所说的"情愿不情愿",因而更多地与"自愿"相联系。而对于包括宋明理学家在内的后来者而言,一方面是儒家的大纲大法已经确立,一方面是传统社会的纲常伦理被视为"天理"之表现,其时代使命就是用儒家思想去教化民众而唤起民众对"行仁"即实践仁德的警醒,因而他们更为注重的是理或曰道德理性,从而更多地与"自觉"相联系。也正是在这个意义上,朱熹有"仁乃爱之理"的说法。

尽管如此,对道德情感的注重依然是从根源性上塑造儒学精神特质的重要因素。德国哲学家康德是西方哲学家中非常看重道德的,在这一点上与儒家有着某种程度的共同之处。但是,他根本反对道德行为与道德情感等感性的因素相联系。在他看来,真正的道德行为只能是源自自我生命中不受任何外在因素所制约的内在的"绝对命令"。而在儒家这里,如果没有道德情感的作用,道德行为恐怕就只能是无源之水、无本之木。英国哲学家休谟对道德情感给予了很多关注,这一点也似乎与儒家"形似",但在休谟那里道德情感归根结底处于道德活动的低层次,这也明显不同于孔孟儒家甚至把道德情感视为道德活动之"本体"的立场。也是由于情感与意志之间的内在关联,而意志作为生命的内在驱动力是指向"行"以实现人之理想与价值的,因而儒家不仅注重践行而且以道德和善恶作为自己的关注中心。儒家强调自己的学说不是一种一般的学理系统,而是"生命的学问",要起到人们奉以行止的人生信条的作用。基于此,儒家十分强调其学说的实践品格。从孔子那里起,这一点就得到了鲜明的突出。孔子多次言行并举,以强调"行"的重要性。他说:古人言语轻易不出口,就是怕自己的行动赶不上。又说:君子以说得多、做得少为耻。历代儒家也十分注重修己体认、躬行践履的功夫,认为它是儒学作为一种成德之学的精髓之所在。无论心学所强调的"逆觉体证",还是理学所强调的"格物居敬",实际上都是强调儒学作为一种身心性命之学,它必须紧扣生命的实践特别是道德的实践来讲论。注重修己体认、躬行践履,构成了儒学作为一种"生命的学问"而非一般学理系统不可或缺的理论特质。这也使得儒家人生哲学与大约与孔子同时代的希腊哲学家苏格拉底的人生哲学相区别。苏格拉底人生哲学的基本命题是"美德即知识",因而知识的获取或者说求知本身对于美德而言就具有了终极性的意义,由此显然隐含了一种以理性认知为根本的价值取向。在孔子那里,由于美德总是与修己体认、躬行践履相关联的,因而,美德既不能仅仅停留在认识与言说的层面,也不以理性认知为归极，而是必须见诸行事，以践行来"深切著明"。仅仅有"言出"而"躬不能逮"，在儒者看来，不仅谈不上美德而且是一种耻辱。

为仁由己　爱有差等

作为一个士君子，"仁"和自己的生命是怎样发生关联的？在对待"他者"（包括人和物）的态度上又该以怎样的方式来体现"仁"呢？对于这个问题，儒家一方面揭明了"为仁由己"的自主性原则，一方面体现出建立在"爱有差等"原则基础上的"推爱"形态。

一、为仁由己

前文已经指出，正是针对西周以来的礼乐文明中民众只是沐浴于古先圣王的教化之中而不能自主地完成自己的德性人格的状况，孔子指点出"仁"作为礼乐内在于人性本质的根据，突显了人的道德自主性在成就人之真实的自我生命中所起到的主导作用。孔子高度强调了"为仁由己"的自主性。他明确指出：仁德离我远吗？我欲求仁德的时候，仁德就呈现出来了。孟子也鲜明地强调了这一点。在为当时还是储君（世子）的滕文公讲论儒家义理时，孟子"道性善，言必称尧舜"。为了激励世子立志为仁，孟子引颜渊的话说：舜是人，我也是人，舜能成为圣贤，我当然也能成为圣贤；所有有作为的人都可以像舜那样。这就是"人皆可以为尧舜"的道理。这其中的关键在于是否能够挺立道德自我，确立道德的主体性与自主性："为仁由己，而由人乎哉？"有了"为仁由己"的觉悟，并经过长期的修炼，立德行仁的力量就终将会臻于"若决江河，沛然莫之能御"（像决了堤的江河，汹涌澎湃得无以阻挡）的境地。孔孟儒家的努力，堪称较为充分地突显了人的道德自主性在成就人之真实的自我生命中所起的主导作用，从而也就事实上是开拓了一个人格的、人文道德的内在世界。这一内在世界的开拓，不仅为礼乐文化这条"龙"点了睛，从而为它注入了内在生命力并使之神龙活现，更重要的是突出了人自己主宰、发展以至完成自我生命的道德自觉性，从而开创了通过自我道德修养而完善自我人格以成就圆满之生命存在的可能性。在一定的意义上，孔子所指点的"仁"对中国文化与中国人的生命存在形态堪称是起到了"开光点醒"的作用。正如蔡仁厚教授所指出的，在二帝三王的礼乐教化中，人不是主动自发地来完成自己的德性人格，还没有发现自我而进到自觉的境界。孔子以仁立教，告诉我们"为仁由己"，"我欲仁，斯仁至矣"。经过孔子的这一步点醒，才引发了人的自觉，使人能够主动自发地来决定人生的方向，完成生命的价值，因而开出了一条"人人皆可以践仁成圣的大路"。

细心读过《论语》的读者可能会注意到，孔子一方面说"道不远人"，我欲仁，仁就呈现在我的身边；可是另一方面，孔子又不轻易以仁许人。比如孔子在评价诸弟子时，认为只有颜回（即颜渊）能够做到仁心常在，而其他人只是偶尔一见而已；在孟武伯问子路、冉求、公西赤"仁不仁"这一问题时，孔子均以"他仁不仁我不知道"作答；在子张问令尹子文、陈文子是否做到"仁"时，孔子只是分别许其"忠"和"清"而未许其"仁"。这两者之间是否存在矛盾呢？我们认为，两者在孔子那里并不矛盾。原因在于，就"仁"而言本来就存在着两种不同的面相：一方面，就一个人在主观形态上"立志为仁"而言，他的确是只需要一念之警醒，就完全可以做到"我欲仁，斯仁至矣"，"为仁由己，而由人乎哉"；另一方面，就客观上是否能够行仁特别是就行仁所期望达到的"天下归仁"即将

"仁"普施于天下的终极效果而言,那就不仅要看自己的主观努力是否足够,而且要看客观条件是否允许,因而是"任重而道远",很难达到的。孔子对"仁"所表现出的不同的态度,正是分别对应于两种不同的面相的。了解这一点,有助于加深对"为仁由己"的理解。

二、等差之爱

在揭明"为仁由己"的自主性原则的同时,在如何施爱即在与他人的关系中以怎样的方式来体现"仁"的问题上,儒家则体现出了建立在"爱有差等"原则基础上的"推爱"形态。儒家的"仁爱"有一个重要特点,就是它并不是一种抽象化的、普遍化的、均等普施于"家国天下"乃至于万物的"博爱",而是一种"等差之爱"或曰"推爱",即从与自己有着血亲关系的人入手而逐步推扩到更大范围的"老吾老以及人之老,幼吾幼以及人之幼"的过程,从而不同于墨家所主张的以"爱人之父如己之父"为标志的"兼爱"。

在孔孟儒家那里,"仁"直接体现为一种道德情感,"爱人"的过程就是这种道德情感自然而然地呈现而"感通遍润"的过程,因而"仁"的发用具有由近及远、由亲及疏的特点。正如孔子的高弟有若所指出的:君子致力于根本,根本确立了,人道也就随之生发出来了;孝顺父母,爱敬兄长,这就是仁的根本!"仁"的发用是从与自己具有血缘关系的亲人开始的,孝悌即对父母的孝敬与兄弟姐妹之间的友爱构成了行仁的起点与根本。这就是所谓"爱由亲施"。由此而生发出的等差之爱强调,虽然我由爱自己的父亲也当然地生发出对他人之父的爱,但我完全可以依据人情之自然而以更为纯真、挚烈的感情来爱自己的父亲。这也就是老吾老"以及"人之老,幼吾幼"以及"人之幼。儒家的上述主张,遭到了战国时代同为显学的墨家的直接批评。据《淮南子·要略》记载，墨家的创始人墨翟虽然曾经师从儒者，但却最终创立了与儒家不同的另一学派。在其中，对待其他的人是采取一种建立在"等差之爱"基础上的有差别的"推爱"，还是采取一种建立在"爱人如己"基础上的无差别的"兼爱"，是儒家与墨家的重要分歧之一。在墨子看来，当时之所以出现国与国相攻、家与家相篡、人与人相贼、君臣不惠忠、父子不慈孝、兄弟不和调这样的天下之害，是因为天下人都只知道爱自己而不知道以同样的方式爱对方，即此害乃"以不相爱生"。他举例说，现在的诸侯只知爱其国，不爱人之国，因而不惧怕举其国之力以攻人之国；现在的家主只知爱其家，而不爱人之家，因而不惧怕举其家之力以篡人之家；现在的人只知爱其身，不爱人之身，因而不惧怕举其身之力以残害他人。所以诸侯不相爱，则必野战；家主不相爱，则必相篡；人与人不相爱，则必相贼害；君臣不相爱，则不惠忠；父子不相爱，则不慈孝；兄弟不相爱，则不和调。天下之人皆不相爱，强必执弱，富必侮贫，贵必敖贱，诈必欺愚。那么，怎么才能改变这一点呢？墨子主张"以兼相爱、交相利之法易之"。具体而言，所谓"兼相爱、交相利"之法究竟如何实行呢？墨子认为其中的关键是要做到视人之国，若视其国；视人之家，若视其家；视人之身，若视其身。只要做到了这一点，就可以达致天下太平。因为如果使天下兼相爱，爱人之身若爱己之身，就不会有不孝不慈者；视人之室若己之室、视人之身若己之身，就不会有盗窃者；视人之家若己之家、视人之国若其国，家国相乱相攻的现象也就不会出现。国与国不相攻，家与家不相乱，盗贼无有，君臣父子皆能孝慈，"若此则天下治"。立足于"兼以易别"的立场，墨子对儒家展开了公开的批评。

究竟该怎样评价儒家"等差之爱"与墨家"兼爱"的是非

对错,并不是本书这里能够解决的问题。但这一问题的确与儒家的精神品格有关。方东美教授曾提出,中国民族生命之特征可以老(兼指庄)、孔(兼指孟、荀)、墨(除却别墨即后期墨家)为代表,而"贯通老墨得中道者厥为孔子"。这一论断是颇有见地的。早在孟子的时代,就是"杨墨之言盈天下,天下之言不归杨则归墨"。而正如学术界已注意到的,杨朱为我、重生,并由此而倡导避世的理论倾向,表明它在思想归属上可以看作道家思想的一个流派。孟子当年就是站在儒家的立场上与杨墨进行了辨难。

在孟子看来,杨子为我,是无君;墨子兼爱,是无父。而无父无君则无疑等于禽兽。杨朱的特点是重生而为我,拔一毛以利天下而不为,并由此希望避世而逍遥。在一定的意义上,如果人人都逃世而逍遥,人类社会自然就只有解体。而墨子主张兼爱,要人爱人之父如己之父,虽然并不一定意味着无父,特别是很难由此被视为形同禽兽,但要社会上的人都仅仅凭着一颗兼爱之心去摩顶放踵、利他爱他,显然也很难真正做到。从一定的意义上说,墨子的积极入世、兼爱利他与杨子的孳孳为我、消极避世正是代表了在个人与社会关系上的两个极端倾向。

儒家的有关思想则既别于杨子也异于墨子。儒家采取了一种积极入世的态度,而这又不是以完全忘掉自我为前提的。与此同时,儒学讲求为己,讲求自我的安身立命,却又并不意味着他人的空场。在儒学中自我的身心安顿总是在与他人的关联之中实现的。同墨家一样,儒学也强调人对人要有爱心,但它所强调的,是顺应人情之自然的等差之爱,而不是完全平铺的兼爱。用一个并不十分贴切但却颇足以说明问题的比喻,墨家所强调的兼爱或许可以看作爱之"同",而儒家的等差之爱则可以看作是爱之"和"。可见,儒学一方面以入世的路向来力图实现社会的安和乐利并使每个人都能做成真正的自我,另一方面又从自我出发强调导向社会性的、和乐融融的"等差之爱"。在一定的意义上确实具有一种既抑墨家之过又扬道家之不及的中道品格。

与等差之爱或曰推爱精神相联系,在儒家思想中,"仁"并不仅仅体现为人的本性。可以说,"仁"事实上是在三个不尽相同的层面上均得到了体现。借助于已故美籍华裔学者唐力权教授的说法,我们可以将它们分别名之为"本体之仁"、"类性之仁"与"道德化仁"。

所谓"本体之仁",也就是宋明理学家所经常说到的"仁者与天地万物为一体"的一体之仁,它是指仁爱精神在天地万物之间"充其极"而达到一体贯通之最高境界的状态。正是在这个意义上,儒家把具有"生生之德"的天地视为具有"仁德",《易传》有"天地之大德曰生"之语,将天地最高的德性视为使新的生机和活力不断涌现。显然,在某种意义上这不仅是要在具有仁德这一点上来贯通天人,而且是将"天地"视为人的终极根本。本体之仁是既肯定万物而又成就万物的,在这个意义上,它具有纯净无私的超越性。

所谓"类性之仁"则是落实在人性之中的"仁",可以视为本体之仁在人的类性禀赋限制之下所具有的"同情共感"的力量。与本体之仁相比,它不具有涵容万物的超越性,而是限定于作为一个类而存在的"人类"范围内及其个体、血缘家族、民族国家等组成范围内的"私仁"。这实际上也就是作为人之本性的"仁"。当然,由于类性之仁乃是本体之仁在人性中的体现与落实,因而它不仅将本体之仁涵摄在内,而且以本体之仁作为类性之仁所显发的仁性关怀的最后根源与精神动源。

所谓"道德化仁"就是仁性的道德化或社会理性化,也就是本体之仁通过类性之仁的中介作用在社会制度和伦理规范中进一步的落实。这里"道德"一词是在广义上使用的,用以概括在文明社会中一切对个体所施予的诱导和强制的力量。每一个文明社会对于属于它的个体所施予的诱导和强制力量都是通过这种"应该"和"不应该"的道德律令来运作的。道德化仁的处理问题,可以说是作为以仁性关怀为出发点的人文主义学说的儒家所关注的中心问题。它包括三个方面:一是道德化仁在人性和道体上的根源问题,二是道德化仁在现阶段文明社会的表现问题,三是道德化仁在历史文化中的传承问题。这三个问题分别用儒家的术语来讲,就是性命与天道的问题、礼乐教化的问题和道统问题。

原典选读

樊迟问仁。子曰"爱人"。

子曰:"唯仁者能好人,能恶人。"

子曰:"古之学者为己,今之学者为人。"

子曰:"三军可夺帅也,匹夫不可夺志也。"

子曰:"志士仁人,无求生以害仁,有杀身以成仁。"

子路问君子。子曰:"修己以敬。"曰:"如斯而已乎?"曰:"修己以安人。"曰:"如斯而已乎?"曰:"修己以安百姓。修己以安百姓,尧舜其犹病诸?"

子曰:"古者言之不出,耻躬之不逮也。"

子曰:"君子耻其言之过其行。"

子曰:"仁远乎哉? 我欲仁,斯仁至矣。"

子曰:"回也,其心三月不违仁,其余则日月至焉而已矣。"

孟武伯问:"子路仁乎?"子曰:"不知也。"又问。子曰:"由也,千乘之国,可使治其赋也,不知其仁也。""求也何如?"子曰:"求也,千室之邑,百乘之家,可使为之宰也,不知其仁也。""赤也何如?"子曰:"赤也,束带立于朝,可使与宾客言也,不知其仁也。"

子张问曰:"令尹子文三仕为令尹,无喜色;三已之,无愠色。旧令尹之政,必以告新令尹。何如?"子曰:"忠矣。"曰:

"仁矣乎?"曰:"未知。焉得仁?""崔子弑齐君,陈文子有马十乘,弃而违。至于他邦,则曰:'犹吾大夫崔子也。'违之。之一邦,则又曰:'犹吾大夫崔子也。'违之。何如?"子曰:"清矣。"曰:"仁矣乎?"曰:"未知。焉得仁?"

颜渊问仁。子曰:"克己复礼为仁。一日克己复礼,天下归仁焉。为仁由己,而由人乎哉?"颜渊曰:"请问其目。"子曰:"非礼勿视,非礼勿听,非礼勿言,非礼勿动。"颜渊曰:"回虽不敏,请事斯语矣。"

有子曰:"其为人也孝弟,而好犯上者,鲜矣;不好犯上,而好作乱者,未之有也。君子务本,本立而道生。孝弟也者,其为仁之本与!"

——节选自《论语》

孟子曰:"君子所以异于人者,以其存心也。君子以仁存心,以礼存心。仁者爱人,有礼者敬人。爱人者人恒爱之,敬人者人恒敬之。有人于此,其待我以横逆,则君子必自反也:我必不仁也,必无礼也,此物奚宜至哉? 其自反而仁矣,自反而有礼矣,其横逆由是也,君子必自反也:我必不忠。自反而忠矣,其横逆由是也,君子曰:'此亦妄人也已矣。如此则与禽兽奚择哉? 于禽兽又何难①焉?'是故,君子有终身之忧,无一朝之患也。乃若所忧则有之:舜人也,我亦人也。舜为法于天下,可传于后世,我由未免为乡人也,是则可忧也。忧之如何? 如舜而已矣。若夫君子所患则亡矣。非仁无为也,非礼无行也。如有一朝之患,则君子不患矣。"

———

① 难:责难。

世子自楚反，复见孟子。孟子曰："世子疑吾言乎？夫道一而已矣。成覵谓齐景公曰：'彼丈夫也，我丈夫也，吾何畏彼哉？'颜渊曰：'舜何人也？予何人也？有为者亦若是，公明仪曰：'文王我师也，周公岂欺我哉！'今滕绝长补短，将五十里也，犹可以为善国。书曰：'若药不瞑眩，厥疾不瘳。'"

曹交问曰："人皆可以为尧舜，有诸？"孟子曰："然。"

老吾老，以及人之老；幼吾幼，以及人之幼。天下可运于掌。诗云："刑于寡妻，至于兄弟，以御于家邦①。"言举斯心加诸彼而已。故推恩足以保四海，不推恩无以保妻子。古之人所以大过人者无他焉，善推其所为而已矣。

——节选自《孟子》

子路入，子曰："由！知者若何？仁者若何？"子路对曰："知者使人知己，仁者使人爱己。"子曰："可谓士矣。"子贡入，子曰："赐！知者若何？仁者若何？"子贡对曰："知者知人，仁者爱人。"子曰："可谓士君子矣。"颜渊入，子曰："回！知者若何？仁者若何？"颜渊对曰："知者自知，仁者自爱。"子曰："可谓明君子矣。"

——节选自《荀子》

---

① 刑于寡妻，至于兄弟，以御于家邦："寡妻"指嫡妻。"刑"表示楷模仪范。先给妻子做榜样，再及于兄弟手足。先把家庭整顿好，进而把家国治理好。

人禽之辨

　　大家可能注意到了，儒学经常被称为"生命的学问"、"人学"。可以说，对"人是什么"的探讨构成了儒学的基础和前提。而这一探讨又是与"仁"联系在一起的。孟子曾指出："仁也者，人也。合而言之，道也。"这是说，不仅"仁"与"人"之间存在着内在的紧密联系，而且两者的结合就形成儒学之"道"。儒学对人的认识集中在对人性与理想人格的讨论中，在人与其他动物相区别的意义上来看待人性，以"仁"来彰显人的本性从而肯定人性善，构成了儒学的重要特色。在前文对"仁"的基本特质做了初步阐述后，本部分接下来就儒学对人性的认识问题做出进一步具体的梳理。

人性本善

概要地说,儒家思想关于人性问题的首要观点在于:与其他动物相比,由于人具有道德性,因而人性是本善的。这既是儒学展开自身思想系统的基础,也是儒学与以基督教为代表的西方文化之间存在的重要差异。

一、人而不仁如礼何? 人而不仁如乐何?

儒家的人性善论创自孔子。孔子不仅将"仁"指认为礼乐形式所据以成立的内在根据,而且认之为普遍的人之本性之所在。孔子明确指出:"人而不仁如礼何? 人而不仁如乐何?"在他看来,人如果不能具备"仁"这样的品质,那么即使是生活在礼乐文化的典章制度与生活规范中,其礼乐也只能是徒具其表;同样,人也很难说是一个真正意义上的人。孔子还指出:君子连吃一顿饭的时间也不能离开"仁",就是在仓促匆忙的时候也一定和"仁"在一起,在颠沛流离的时候也一定和"仁"在一起。换言之,"仁"不仅成为礼乐仪节的真实内容,而且成为人之真实生命最内在的本质。

　　熟悉孔子思想的读者知道,孔子并没有明确提出"性善论"。在《论语》中,论到"性"的地方只有两处。一处是在《公冶长》篇,子贡慨叹:"夫子之文章,可得而闻也;夫子之言性与天道,不可得而闻也。"另一处是在《阳货》篇,孔子做出了"性相近也,习相远也"的论断,但并未指明"相近"的具体意涵。我们认为,综合孔子的思想,这里的"相近"只能是指向人性善的。这主要有以下三方面的理由。

　　其一,正如学界的相关研究已经得出的共识,就词源而言"性"字就是从"生"字演变而来的,直至春秋时代,"生之谓性"即以人与生俱来的材性禀赋为人之性仍然是当时的主流传统。显然,以这样的进路来谈论人性,是以肯定人与其他万物的共同性为前提的。而在孔子那里,突显人之所以为人的特性明显构成了其重要的理论出发点。这就包含了在人性论上实现新的变革的可能。

　　其二,事实上,孔子的整个学说的确是建立在对于人的新认识的基础之上的。这种新认识就是鲜明地突显了人的道德性。孔子不仅指点出了"仁",而且明确地以"爱人"即"自爱"基础上的"爱他"来规定"仁",并进而将具有仁德、成为"仁以为己任"的仁人志士确立为儒者的人生目标。这其中的确包含了对传统人性论的变革性内容——道德性。而正是道德性成为其后儒者高扬"人性善"旗帜的核心内容。

　　其三,孔子不仅鲜明地阐释了成为仁人志士的理论要求,而且通过自己"十有五而志于学,三十而立,四十而不惑,五十而知天命,六十而耳顺,七十而从心所欲,不逾矩"的生命实践,向世人展示了由仁心朗现而仁智双彰而与天相知并最终"随心所欲不逾矩"的圣贤气象。在归根结底的意义上,所谓"人性善"是通过自我生命的实践而"吾性自足"地获得生命的终极价值与意义。与此相对应的是,人性恶占主导地位的西方文化总是需要一个纯善的、世俗世界之外的上帝来为人们提供安身立命之所。在这个意义上,可以说,正是孔子以自我生命的光辉轨迹向世人昭示了"人性本善"的生命存在形态。

正因为此,我们完全有理由认为,正是作为儒学创始人的孔子开启了儒家性善论的端绪。

二、四端之心

在此基础上,孟子在与当时告子等人所主张的"性无善无不善"论、"性可以为善,可以为不善"论以及"有性善,有性不善"论等不同观点的论辩中,通过以心善言性善,充分突显了"人之所以异于禽兽者"的道德性,对儒家性善论做了大力论证和阐述,从而奠定了儒家性善论的理论基础。

孟子并不否认人与人之间具有共同的自然属性。但他强调,自然属性并不是人与其他动物或曰禽兽的根本区别。人生而具有的道德性才是人之所以为人而异于禽兽的本质属性。这种道德属性集中体现在人所具有的仁、义、礼、智四德上。四德则在"人皆有之"的四种道德情感或曰"四端之心"中得到了最为基础亦最为本真的表现:同情之心,人人都有;羞耻之心,人人都有;恭敬之心,人人都有;是非曲直之心,人人都有。同情之心,就是"仁"的表现;羞耻之心,就是"义"的表现;恭敬之心,就是"礼"的表现;是非曲直之心,就是"智"的表现。仁义礼智,不是由外面渗入到我内心的,是我的内心本来就有的,只是未曾思考而不自觉罢了。因此,人所固有而非外力强加的内在的恻隐、羞恶、恭敬、是非等道德情感或曰同情感、羞耻感、崇敬感和是非感,就是作为人之本性的仁、义、礼、智的根芽。这些是"天之所与我者"或曰天生具有的:没有经过学习就会的,是人的良能。不经过思虑就知道的,是人的良知。儿童都知道喜爱父母,长大后都知道尊敬兄长。亲爱父母,就是仁;尊敬兄长,就是义。之所以都如此,是因为良能、良知与仁、义是天下通行的。这也就是说,人之所以自小就知道亲亲、敬长,是因为这两种品格是通行于天下的"良知良能",是人之所以为人的道德属性的重要标志。所以,体现不出"四端之心"者,也就失去了做人的基本资格:"无恻隐之心,非人也;无羞恶之心,非人也;无辞让之心,非人也;无是非之心,非人也。"在对正反两个方面的情况均做了剖析后,孟子明确指出,正是根于心的仁义礼智构成了君子的本性。由此孟子明确宣称人"性善"。

三、在孟子与荀子之间

如果说孟子是对儒家性善论做了大力论证和阐述,从而奠定了儒家性善论的理论基础,荀子则明确提出了"人性恶"的主张,并对孟子做出了批评。

概要而言,荀子的人性论包括了以下三方面的主要内容:

第一,以人之生命存在的自然属性作为人之"性"。在一定的意义上,荀子堪称继承了古代"生之谓性"的传统。他明确指出:所谓性,是先天自然生成的,不是学来的,也不是可以人为改变的;生来就如此的称之为性,不假人为而自然如此的称之为性。

第二,顺此而进,荀子以社会化的标准来衡论人之生理本能与情感欲望的种种表现,得出了"人性恶"的结论。在他看来：至于眼睛喜欢看美色，耳朵喜欢听美音，嘴巴喜欢尝美味，内心喜欢利益，身体喜欢舒适、安逸，这些都是从人的自然性情中产生的，是在人与外在世界的接触中自然形成而不假后天人为的东西。正是它们构成了人性的具体内容。而人的上述本能与情感、欲望的自然流露，就其社会作用而言即体现为恶：人的本性生来就贪图利益，顺着这种本性，人与人之间就会发生争夺，而谦让也就不存在了；人生来就容易仇恨厌恶他人，顺着这种本性，人与人之间就会互相斗争戕害，而忠信也就不存在了；人生来就有爱好声色的欲望，顺着这种本性，就会出现淫乱的事情，而理义和规范也就不存在了。因此，顺从人的本性与情欲，就必定会出现争夺，导致违反等级名分与纲纪制度的事情出现，破坏社会秩序。……由此观之，人性本恶的道理很清楚了。

第三，标举"性"、"伪"之分，并由此而严斥孟子的"性善论"。荀子认为：不是可以学来的，也不是可以人为改变的，而是自然生成的，这就是人的本性，相反就是人为；这就是本性与人为的差别。正是在这个意义上，荀子明确指出：人性本恶，那些善良的行为是后天人为造成的。因为人之本能与情感欲望的泛滥必定给社会带来纷争与动荡，因而一定要有礼法的教化、引导与规范，然后才能出现合乎理义与礼让要求的正常秩序，而归于天下的平治。这也就是要通过人为而将自然存在的人性规范于礼义统率之下，从而使其表现达致"善"的社会效果。基于这样的认识，荀子明确批评孟子所倡明的"性善论"，认为孟子的有关思想"不及知人之性"，其关键则在于"不察乎人之性伪之分"。

初看起来，荀子的人性论似乎真是与孟子的人性论针锋相对的。但仔细的分析表明，两者虽然都在谈"人性"问题，但他们不仅着眼点不一样，而且其"性"所指的实际上并不是

61

同样的内容。简单地说，荀子着眼的是人的"生之所以然者"，关注的事实上是人的自然属性；孟子着眼的则是"人之所以异于禽兽者"，关注的是人的道德属性或曰社会属性。虽然如此，在基本的理论关节点上，荀子依然体现出了儒家的本色。荀子所尊崇的理想人格是儒家所倡导的"圣人"，其社会理想上是儒家所倡导的"王道"。正因为此，尽管荀子在人性论上作出了与孟子性善论针锋相对的论断，但是在其理论归趋即人之生命意义的安顿与生命价值的实现上，与孟子又是相同的。

正像孟子那样，荀子也认为人之终极价值就是成圣成贤；他也像孟子认为人皆可以为尧舜那样，明确地宣称"涂之人可以为禹"（路上的普通人都可以成为大禹那样的圣人）。之所以能够如此，一在于古先圣王所制作的礼义之统，一在于"涂之人"皆有内具的"化性起伪"之资具即人心。以灵明之心去契会圣王礼义之统，是荀子为"涂之人"所指明的成圣成贤之路。荀子指出：古代的圣王，鉴于人性本恶，偏邪不正，悖乱而失秩序，因而为之确立了礼仪制度，用来教化、引导并矫正人的性情，驯服并引导他们。这样人们才会遵守社会秩序，合乎道德规范。但是，圣人所制定的"礼义之统"只是为"化性起伪"提供了客观的可能，要将这种可能转化为现实，人自身还必须内具化性起伪的根据或曰"资具"。在荀子看来，这个"资具"显然不在人之本恶的性而在于人之心。不同于孟子突显了心作为道德价值判断之根据的一面，荀子突出了心所具有的知虑思辨的功能。他明确指出，"心生而有知"。依凭"生而有知"的人心，人就可以"知道"即认知、理会古先圣王所创设的"礼义之统"。在此基础上，通过不懈的"修身养心"，就可以使自己逐渐由外而内地自觉行义践礼达到"化性起伪"而约束本恶之性的目的。知习既久，则逐渐将礼义之统所提揭的道德规范内化为自己的理性自觉并渐臻"至诚"之境,亦即通过不懈的"修身"、"治气养心",使外在的伦理规范内化为行义践礼的内在的精神动源;在此基础上,秉此道德理性之自觉来启导、规范自己的行为,以真正做到"守道以禁非道"。由于"涂之人"皆有可以知仁义法正之质,因而也就内具了不断进德以成君子乃至圣贤的可能性。正是在这个意义上,明确倡言"人之性恶"的荀子又同时满怀信心地宣称"涂之人可以为禹"。

我们看到,尽管荀子因为着眼于人之自然属性而提出了"人性恶"的看法,但他又不是安于"本恶"的人性,而是强调通过"化性起伪"而不仅约束人性之恶而且渐积道德之善,以最终达到成圣成贤的理想之境。因此孟子与荀子两者的不同归根结底是儒家内部的差异,并表现为儒家思想系统中既在根本的理论立场上具有一致性而又在某些具体问题上差异互见的不同义理入路,从而均对后世儒学产生了重要影响。

恺悌君子

从上面的叙述中不难看出,儒家通过从人禽之辨出发而大力提扬人之道德性,在中国文化中开辟了一条成圣成贤的康庄大道。作为一种成德之学,孔子人生哲学的基本要求是要人成为一个真正的人——一个具有仁德的人,一个君子而非小人,而其最高的目标则是成为"人伦之至"——圣人。为达此目的,就必须大力加强修养功夫。

一、成圣成贤的人生追求

儒家理想人格的最高目标是成为"圣人",而其起点则是成为"君子"。所谓"君子"本来的意思是"国君之子",后来泛指贵族或曰社会地位高的人,而与处于社会底层的"小人"即普通民庶相对应。在中国文化史上,孔子首先改变了这种以社会地位划分"君子"与"小人"做法,以德性与德行状况为标准,在有德者与无德者之间划了一条分界线,分别将他们称为"君子"与"小人"。一般而言,所谓"小人",就是对于自己内在的仁性缺乏自觉而不行仁的人,而所谓"君子",则是对自己内在的仁性已经有所自觉且立志行仁的人。根据《论语》研究专家杨伯峻先生的统计,《论语》中说到"仁"有109次,说到"君子"就有107次,有人甚至把孔子所设想的理想社会名为"君子国"。由此不难看出"君子"在孔子思想中的重要地位。孔子谈到"君子",经常与"小人"对举。概要而言,"君子"与"小人"有如下一些方面的主要差别。

君子喻于义,小人喻于利。这是说,君子的行为主要是要合乎仁道以及仁道统率下的各种行为规范。小人则可以说是"放于利而行",其言行举动的最终目标均是为自己谋求一己的私利。这可以说是君子与小人的一个基本的分界线。

君子求诸己故上达,小人求诸人故下达。君子由于有对自己内在仁性的自觉,因而能够致力于开拓自己内在的人格世界,能够从日常的生活琐事中经过自我的道德磨练与修持,而成为一个有坚定的德性与操守的仁人志士。小人则因为意在追求利禄,因而往往不知反求自省以成就自己的德性,而是求诸他人以获取自己一己的私利,因而很难成就内在的精神世界。

君子和而不同、周而不比,小人则同而不和、比而不周。在待人处世中,君子能一秉仁心,充分展现自己内在的德性,从处世应物之合宜合适的要求出发,敢于坚持自己正确的观点、提出不同意见,促进事物的和谐发展。与此相关联,在处理人与人之间的关系上,君子注重合宜合理,强调整体的团结、协作,而不结党营私。小人则只会盲目地附从上级的意见,而不能从实际出发,提出与上级不同而又正确的己见。他们也不注重整体的团结、协作,而只重结党营私。

君子讲求德操,小人则肆意妄为。君子由于有"仁"的自觉,因而中有所守,自己的视听言动总有一定之规。这样,君子在任何时候都讲究德操,而不会因为一时一己之私利而胡作非为。相反,小人由于只是放于利而行,孜孜以求利,当他穷困不通的时候,就会没有任何操守,肆意妄为甚至不择手段、为非作歹。正是在这个意义上,孔子指出:君子穷困不通时依然有自己的操守,小人一穷,就什么都干得出来了(君子固穷,小人穷斯滥矣)。

君子坦荡舒泰,小人则骄奢忧戚。在生活态度上,君子由于仁德在胸、知命达观、安贫乐道,因而即使是在贫困危厄之中也依然表现得坦荡安详、平正舒泰,居于上位时则从不心高气傲、盛气凌人。小人因为孜孜以求利,因而总是戚戚不安,忧惧贫困。而一旦身居上位,却又患得患失,惟恐失尊而矜己傲物,尽其骄奢,依然不得安泰。

君子易事而难悦,小人则易悦而难事。在君子手下工作很容易,让他真心喜欢却难。因为君子用人如器,总是根据人的才能去安排不同的工作,因而每个在君子手下工作的人总是因为各得其宜而干得胜任愉快。但是君子衡量一个人有他自己内在的标准。如果有品格上的缺陷或者不以正当的方式来待人接物,君子就不会真心欣赏这个人。对于小人而言,则只要投其所好,即使不以正当的方式对待他,他也会喜欢。但当他使用人的时候,却容易百般挑剔、求全责备。因而在小人手下干事很难有胜任愉快的感觉。

君子成人之美,小人则成人之恶。君子以仁道自立,因而总是乐于助人而成人之美。小人则总是把自己一己的私利放在首位,因而并不热衷于关心别人、帮助别人。相反,为了获得自己的私利,他常常是不择手段,不仅可能拆别人的台,而且还可能助成他人之恶。

在儒家思想中,是做一个孜孜以求利、放于利而行,因而无德性、无操守、肆无忌惮的小人,还是做一个义以为上、行仁践义,因而重德操、求上达,行己有耻的君子,可以说是人在梦觉关头的一次重大的生命抉择,是关系到究竟做一个真正的人还是做一个衣冠禽兽的大问题。当然,成为"君子",还是儒家理想人格的"入德之门"。一个君子,只有不断地修养自己,既在德性上精进同时也在能力上增强,在条件允许时还要努力为社会建功立业,以不断沿着"入德之阶"提升自己。儒家为世人树立的最高的理想人格的典范,则是圣人。

在早期儒家系统中,人们通常把二帝三王及周公认作圣人。此外，商汤时的伊尹，商纣时的伯夷、叔齐，春秋时期的柳下惠，也与于儒者所谓圣人之列。根据《论语》的记载，孔子还在世的时候，就已经有人以"圣者"来看待他了。孔子过世后，后儒们对孔子的高尚人格做出了高度评价。在孟子看来，在所有的圣人中，孔子是最伟大、最足以师法的楷模。他明确指出，"自有生民以来，未有孔子也"，显然是"夫子贤于尧舜"的。孟子还把孔子与伯夷、伊尹和柳下惠三人做了比较，把伯夷归结为"圣之清者也"即圣人中的洁身自好者，伊尹是"圣之任者也"即圣人之中以天下为己任者，柳下惠则是"圣之和者也"即圣人中的"和光同尘"者。孔子则是"圣之时者也"，其特点是"可以速而速，可以久而久，可以处而处，可以仕而仕"。朱熹评论说：孔子仕、止、久、速，各当其可，是兼具伯夷、伊尹和柳下惠三人之所以为圣人的品格而根据具体条件随时而化，不是像上述三人一样可以用圣的某一方面的德行来衡量的。因此，孟子把孔子看做是圣者中的"集大成者"，是"金声而玉振之也"。这也就是说，孔子集三圣之事而为一大圣，就好像作乐者宣金以始、收玉以终，集众音之小成以大成一样。所以，孟子明确表示，"乃所愿，则学孔子也"。

对于圣人，孟子有一个简明而精准的界定："圣人，人伦之至也。"简言之，圣人就是尽所以为人之道者。朱熹则对此做了具体展开，在他看来，以孔子为代表的儒家圣人的一个基本特点就是"知无不尽而德无不全"。概括而言，圣人就是既具有崇高的德性而又具有极高的才具，并能致力于治国平天下的人。接下来我们借助于对孔子"吾十有五而志于学，三十而立，四十而不惑，五十而知天命，六十而耳顺，七十而从心所欲，不逾矩"之学思历程的解读，对作为儒家理想人格之最高典范的"圣人"的主要人格特质做出概要的揭示。

孔子从"成童之年"即十五岁开始志于大学之道，经过十五年对外在经典的学习与内心的体悟(班固早在《白虎通德论》中就已经指出,"学之为言觉也,悟所不知也"。可见古人早就认为"学"之中包含了"觉"与"悟"的义涵),终于达到了"仁心朗现"即仁心挺立而不能夺的境界。从此,他一方面继续学之不厌,不断地向内开拓、向外扩充;另一方面则是"诲人不倦",把"为之不厌"的生命存在作了更进一步的展开。这可以看作是一个"仁心"不断扩充的过程。一方面是内在的仁刚健不息地显之于外(如"诲人不倦"),另一方面则是进一步内在地深化"仁"的自觉(如"克己复礼")。由此不仅使内在的仁心仁性更为通畅也更为全幅地呈现出来,而且还能通物我、贯人己,从而达到了"四十而不惑"的境界。孔子曾指出,"智者不惑"。他还强调"知及仁守"。据于此,我们不妨认为,四十岁时的孔子已经由三十岁的"仁心朗现"达到了"仁智双彰"的新境界:一方面是仁以感通内外,另一方面是智以周遍及物,既仁以养智又智以利仁,从而达到了主观与客观、己与人、物与我相贯通的新境界。在达到"仁智双彰"的进境之后,孔子开始进而关注"仁"之超越性根据的问题。前面我们已经指出,"仁"可以看作是一种从对自我生命的肯定出发生发出来的对于他者之生命予以肯定、培护的情感取向。而"天"在某种意义上也正显现出载持、培护、发育生命的意向。"天生德于予","天何言哉?四时行焉,百物生焉",天覆地载、天成地养,无不闪耀着一派健动的生机与活力。而在孔子"周文王去世后,文化典籍不都掌握在我这里吗!天如果要灭绝这种文化,那后来者也就不会掌握它了;天如果不想灭绝这种文化,匡人能把我怎么样?""下学而上达,只有天知道我呀"的自信中,已经透显出了与道德义理之天相知相契的生命指向。由此,孔子指点出了天与人的相互贯通之道:人之德是源于天的,天之本性亦即人之本性亦即仁。

由此,孔子就把从内在人心而显发的仁德不仅推扩到了外在的客观世界,而且贯通于天地之间,从而为实现人与天之间由内在而超越的贯通奠定了基本的精神方向。这样,五十岁后的孔子就可以看作已达到了与天相知的超越境界了。在知天命之后,孔子已经确立了一个完整的人格形象。此后的"六十而耳顺"、"七十而从心所欲,不逾矩",都可以看作是孔子生命更为精纯的表现形态。这其中,"六十而耳顺"可以说是达到了"声入心通"的化境,"七十而从心所欲,不逾矩"则是进而实现了欲与矩(道或理)、神圣与凡俗的统一,臻于"极高明而道中庸"之境。由此,孔子向世人展示了一个由"仁心朗现"而"仁智双彰"进而"与天相知"(天人合德)并臻于"中庸"之化境的"圣之时者"的生命存在形态。

二、内省外观的修养方法

成圣成贤的人生追求,内在地要求与之相应的修养功夫。如果说修养功夫的问题在孔子那里尚未引起充分的关注的话,那么,孟子和荀子则已经对此作出了有系统性的论述,并由此开启了儒学中不同修养方法的义理入路。孟子和荀子均明确地突显了修养功夫的不可或缺。孟子虽然从人之异于禽兽的角度强调了人的道德性,但他同时又指出:人之所以区别于禽兽的只是一点点,一般老百姓放失了它,君子则保存了它。如何才能"存之"而不失呢?这就要做"存心"、"养性"的修养功夫:人如果能尽力存养本心,就会知道本性。知道了本性,就能与天相知。存养自己的本心,修养自己的本性,就可以侍奉天了。不论短命或长寿均修身践形而不懈怠,这就是立命之本。立足于这样的认识,孟子提出了"存心"、"养气"、"集义"、"与道"、"存夜气"、"求放心"等等"保任"本心的修养方法。同样,在荀子那里,依凭"生而有

知"的人心,人即可"知道"即认知、理会古先圣王所创设的
"礼义之统"。长此以往,人就可以通过不懈的"修身养心",
使自己逐渐由外而内地自觉行义践礼以达到"化性起伪"的
目的。这其中,"虚壹而静"等修养功夫显然也是不可或
缺的。

由此,从孟子与荀子起,儒家思想内部在修养功夫方面
就已经存在着两种不同的义理入路。不同于孟子以强调道
德的先验性,以"纵贯"和"内省"为特质,荀子则注重道德之
后天人为,以"横扩"和"外观"为特征。经过宋明理学的发
展,最终形成了注重明心见性、逆觉体证,以尊德性为标的陆
王心学,与强调向外认知、格物穷理,注重道问学的程朱理学
的分野。陆王心学对孟子思想的发展自不待言。就朱熹与
荀子心性学说的比较而言,根据蔡仁厚教授的研究,荀子强
调通过理智之心认知社会礼义之统以对治本恶的"情性",与
朱熹强调作为"气之灵"的心通过认知"理"而统摄"性情",不
仅具有结构上的同构性,而且在义理内容上也有着贯通性;
荀子所谓"化性起伪"也与朱熹强调通过"涵养察识"的功夫
来使气顺性合理以成就行为之善有明显的一致性。在继承
先秦儒学并借鉴佛道思想的基础上,宋明理学家对儒家的修
养功夫做了新的发展,形成了宋明理学不尽同于第一期儒学
的一个新的亮点,从而使得儒家修养功夫在宋明理学中表现
出了其成熟形态。在这方面,不少宋明理学的代表人物都形
成了具有自身特色的修养方法。如周敦颐的"主静立人极,
知几通微,诚思合一",张载的"尽心成性,变化气质",程颢的
"识仁,定性",程颐的"学以进德,居敬穷理",朱熹的"静养动
察,居敬穷理",陆九渊、王阳明的"明本心,致良知",刘宗周
的"诚意慎独"等等。

为仁之方

前文已经指出,所谓"仁",是从对自我生命的肯定而生发出的对他者(及于他人与他物)生命的肯定与陪护之情。正像作为人之本性的"仁"所显示出来的,儒家理想人格的成就当然少不了自身"修身养性"的功夫,但它同时又是关联于他人、在与他人的对待关系之中才真正得以实现的。在这方面,儒家最基本的行为规范就是"忠恕之道",其理想境界则是"由仁义行"。

一、忠恕之道

在儒家思想中,在一定意义上,仁代表了一种人在与外在世界的关系中反求自省以成就完满人格的道德自觉。因此,人的实现虽然是自己最内在的事,但由于人并不是孤寂的自我存在,因而其理想人格的实现又不能不与外在世界紧密相关。如果把自己完全封限起来,不与他人发生社会关系,就不可能成就仁德。正是在这个意义上,孔子彰明了忠恕之道作为最为切近的"为仁之方"。忠恕之道包括了两方面的内容:忠道即"己欲立而立人,己欲达而达人",恕道即"己所不欲,勿施于人"。

今天一谈到中国传统的忠,不少人直接就将之与忠君相联系。实际上,忠君只是儒家忠德之中的一个方面,不仅不是全部内容,而且也不是它的本意。忠的基本含义是"尽己",即尽自己最大的努力去成人之美。所谓"恕"则是推己及人即将己心比他心,以尽可能同情地了解他人的处境。

孔子十分注重忠恕之道在成就仁德中的重要作用。他曾经对曾参说:"参乎!吾道一以贯之。"这是告诉曾参,我所倡导的仁道有其内在的一以贯之的基本原则和原理。而根据曾参的理解,"夫子之道,忠恕而已矣"。可见,在曾参看来,孔子仁道一以贯之的基本原则和原理正在于"忠恕之道"。在另一个地方,孔子明确告诉子贡说:"夫仁者,己欲立而立人,己欲达而达人。能近取譬,可谓仁之方也已。"当代国学大师张岱年先生非常注重孔子的这一说法,认为在孔子诸多的对"仁"的论说中,这一论述可以看做他为"仁"下的定义。而当子贡问孔子有没有什么基本的人生准则可以"终身行之"时,孔子回答说:"其恕乎!己所不欲,勿施于人。"

在一定的意义上,我们可以说,所谓"己所不欲,勿施于人"和"己欲立而立人,己欲达而达人"实际上都是立足于推己及人这一原则的。它们之间的差别在于:前者是推己及人的消极义,自己所不意欲的便不强加之于人;后者是推己及人的积极义,自己所力图成就的,也帮助别人去成就。它们构成了忠恕之道的两个方面。忠恕之道的核心要求,显然是要人们在视听言动之中处处秉持仁爱之心去行事。既不把自己之所恶强加于他人,也不仅仅只顾自己之所欲,而是要乐于助成他人。忠恕之道所强调的,正是通过仁心的发用,不断及于他人与他物,从而达到感通遍润、成己成人(物)、天下归仁的理想境界。

当然,由于儒家仁学的基本品格是"为己",而且孔子倡导忠恕之道的基本前提是"为仁由己",因而在归根结底的意义上,对于他人之内在仁心仁性的成就而言,所谓"己欲立而立人,己欲达而达人"恐怕只能是起到助缘作用。如果越俎代庖,强制性地要求他人按照自己的意愿去"立"、去"达",就难免有违于儒家的仁道原则。在这个意义上,可以把恕道即

"己所不欲,勿施于人"看做忠恕之道的基本义。

"忠恕之道"首先是作为处理人与人之间关系的一般原则来讲的。"忠"的具体化就是"与人忠",对人"忠告"、"忠海",对工作"居之无倦,行之以忠","言忠信,行笃敬"。恕的具体化,也就是《大学》所谓"如果厌恶上司对你的某种行为,就不要用同样行为去对待下属;如果厌恶下属对你的某种行为,就不要用同样行为去对待上司;如果厌恶在你前面的人对你的某种行为,就不要用同样行为去对待后面的人;如果厌恶在你后面的人对你的某种行为,就不要用同样行为去对待前面的人;如果厌恶在你右边的人对你的某种行为,就不要用同样行为去对待左边的人;如果厌恶在你左边的人对你的某种行为,就不要用同样行为去对待右边的人"的"絜矩之道"。这里所谓"絜"即量度;所谓"矩",是画方形所用的尺子。这里所谓"絜矩",意指道德上的规范。概要而言,"絜矩之道"的基本要求,就是不把自己所厌恶的事情强加给上下前后左右。这显然体现了儒家恕道的基本精神。所以东汉经学大师郑康成说:"絜矩之道,善持其所有,以恕于人。"

忠恕之道强调人与人是处于相互对待的关系之中的,因而它不仅适用于在下位者,也同样适用于在上位者。不仅如此,由于在现实的社会组织结构中,在上位者事实上比在下位者居于更为重要的位置,早期儒家实际上更多地强调了在处理对待关系中在上位者所担负的更为重要的责任。孔子不仅明确主张"为政以德",而且强调"君子的德性就像风,小人的德性就像草;君子之德对于小人之德的影响,就像风与草的关系一样,风向哪边吹,草就向哪边倒"。这显然是突出了君子等居上位者以身作则的表率作用。这也就是我们所熟知的"上梁不正下梁歪"的道理。正是立足于这样的认识,孔子提出,君行君道、臣行臣道(君君,臣臣),父行父道、子行子道（父父，子子）。他不仅要求"臣事君以忠"，而且要求"君使臣以礼"。他反对"居上不宽"，而主张对下级"赦小过"，要求为政者"使民如承大祭"，即要求为政者使用民力时，不能轻举妄动，而应当像祭祀天地祖宗那样慎重、虔诚。这些都内在地包含了对对待关系中居于上位者重要作用的强调与以身作则的要求。在这个意义上，在两汉时期形成并对其后的中国传统社会造成重要影响的"三纲"即"君为臣纲，父为子纲，夫为妻纲"明显有违于忠恕之道，因为它仅仅强调了对待关系中一方对另一方的绝对优位性，而没有使其真正成为一种对待关系。

由于儒家思想总是关联于他人、社会乃至宇宙万物来探讨个人理想人格的生成问题，在人生实践的基本伦常规范方面就体现为一种整体本位的倾向，个人总是处在与他人、社会乃至宇宙万物的关系链条之中。这样，在儒家思想中主导人生实践的基本伦常规范就是义务型的，是把人放入社会关系的链条中，强调人处在伦理关系链条的不同位置中，对于社会及他人所应当承担的各种伦理义务。儒家思想的这一特质，与在人生实践的基本伦常规范上采取个体本位、权利型立场的西方现代文化表现出了相当的差异。西方现代伦常规范所关注的是个人作为一个独立的存在者所具有的各种权利。早在孔子那里，儒家就确立了处理基本人际关系即"五常"的基本伦理规范，这就是"君礼臣忠，父慈子孝，兄友弟恭，夫和妻顺，朋友忠信"。不同于西方现代文化所强调的"自由、民主、平等"是人生来就有的权利，儒家的上述伦理规范无一不是在相互关系的链条中，强调了一方对另一方所应承担的义务，而非强调每一方作为一个独立存在的个体所具有的各种权利。因此，不同于西方文化中发展出来的以个人为本位的权利型伦理规范，以儒家为主体的中国文化中发展起来的则是一种处于对待关系中的义务型伦理,表现出的是以整体为本位的伦理价值取向。由此,中国人的行为方式也就不同于西方人的行为方式,不是以个人为中心,而往往比较注重对待关系以至整体性的社会关系。正因为此,梁漱溟先生以"伦理本位"来状述中国传统社会的基本特质尽管并不十分确当,但我们也应当承认,他的确道出了中国传统社会的一个重要特点。

在基督教教义中,有所谓"己所欲,施于人"的"金律"。表面看来,它与儒家忠恕之道所谓"己欲立而立人,己欲达而达人"的要求似乎是一致的。但实则两者之间有着相当的差别。儒家忠恕之道是立足于仁性行为方式基础之上的,它所强调的是人与己之间在人格平等的前提下,通过仁心不容己的感通遍润作用而达到相互之间建立在仁爱基础上的"同情共感"。而由于西方现代文化采取了理智化的道路,基督教所谓金律就多少带有了某种将他人对象化的意味,它所强调的往往是施与者的主体性与主位性,认为既然对于施与对象是好的,即使采取强制手段也是可以甚至必要的。这就难免出现以强凌弱的情况,从而与儒家忠恕之道特别是其中的恕道所强调的推己及人的仁爱之境形成对比。或许与此相关联,当代西方著名基督教神学家孔汉斯先生曾经在全球范围内的各种文明系统中广泛搜寻,希望能够找到可以为各种文明所普遍接受的底线伦理或曰普世伦理,颇为耐人寻味的是,他最后确定的普世伦理是儒家的恕道即"己所不欲,勿施于人",而非基督教的金律即"己所欲,施于人"。

二、从"外在行仁"到"由仁义行"

一个人能否"行仁践义",归根结底取决于他自己的道德选择,同时也与所处的特定环境或氛围之间存在着一定的关系。从逻辑上讲,一个人碰到一件事只有两种选择:要么按照道德的要求去做,要么不按道德的要求去做。而按照道德要求去做的情况,又可以分为迫于外在压力和出于内在的自愿自觉两种情况。在儒家看来,通过在加强自身"修身养性"功夫的同时,又在与他人的对待关系中不断磨练,一个人行仁践义的境界就会得到不断提升,逐渐完成从孟子所谓"行仁义"到"由仁义行"的转变。孟子曾经指出:人之所以不同于禽兽的只是一点点,一般老百姓放失了它,君子则保存了它。大舜明于物理人伦,其德行是由内在的仁义自然生发的,而非自觉按照仁义的规范行事的结果。对此,朱熹解释说,由仁义行而非行仁义,表明仁义已根于心,而所行皆从此出。"非以仁义为美,而后勉强行之"。这也就是"安而行之"。因此,综合动机与效果,在儒家思想系统中一个人的"行仁践义"由低到高可以分为以下三个层次或境界。

首先是"外在行仁"。这是指因为迫于外在的原因而非发自于内心的自愿或自觉而做符合仁义要求的事。孟子在谈论到何以认为人人皆有不忍人之心即同情恻隐之心时,曾经指出:之所以说每个人都有怜悯同情别人之心,是因为,如果人们突然看见一个小孩要掉进井里面去了,必然都会产生惊惧同情的心理。而且,这种心理的产生,不是因为想要去结交这孩子的父母,或者想在乡邻朋友中博得好评,也不是因为厌恶这孩子的嘶叫声。与此相对应,如果有一个人见到一个孩子落井了,他或者出于想与孩子的父母套交情,或者是为了在朋友、乡亲面前落得好名声,甚至或者是因为害怕朋友、乡亲批评他、责骂他而去救孩子,都可以归入"外在行仁"这一类。

其次是"行仁义"。所谓"行仁义",就是行为主体力图按照"仁义"的要求去规约自己的视听言动,以使自己的言行符合外在的规范。此时可以说是处于"自觉"阶段。处于这一阶段的人虽然因为一念之警醒而达到了道德意识的挺立而有进于"有放心而不知求"的"前自觉"阶段或曰"自在"阶段，但由于律则与主体归根结底依然还是二分的，因而它仍然不是儒家所揭明的"高明"境界。

再次是"由仁义行"。"由仁义行"不同于"行仁义"。它是指仁义已经"根于心"即通过长期的修养涵泳，仁义不再仅仅是外在的规范，而是与主体浑然合一，从而得以显发出主体生命本性中"沛然莫之能御"的道德力量。由此，主体的行为就既是由仁义所主导的，而又是随心所欲的。这也就达到了儒家所追求的最高的精神境界，它是超"自觉"、"人为"而自然而然的。从上面的引征中不难看出，儒家所揭明的人之行为的最高准则是"不待思勉而从容中道"、"随其心之所欲"而又"声为律而身为度"的"圣人之德"。其立身处世的基本特点则是超越了在道德规范约束下的道德自觉阶段而达于与道合一的自然天成之境。用今天的话来说，就是一种自然的合目的性的行为。这才是儒家"行仁践义"的化境。

讲到这里，我们还要回过头来对"不按道德的要求去做"的情形说几句话。有的读者见到这里的论说，可能早就有了一个疑惑：儒家在这里讲的道理是不错，理想境界也的确高，但恐怕就是有些不切合实际。在现代社会中，见义不勇为甚至见死不救的事实在是屡见不鲜。报章曾经不止一次地做过类似的报道：有人落水，数百人围观，却无人愿意"援之以手"，甚至当落水者的亲人跪地相求时，也依然不见有"良心发现"者挺身而出、下水救人，但却有人在这个时候出手向落水者的亲人索要高价。该怎么看待这样的事情呢？对此，我们的看法是：

第一，从道义上该如何评价这样的行为，儒家自古及今堪称一以贯之。早在战国时代,孟子就留下了"无恻隐之心,非人也"的严训,在现代儒家这里,也堪称持守了同样的立场。据牟宗三先生的弟子讲述,有人问牟先生这样一个问题:"人为什么要对父母尽孝?"他给予的回答是:"如果一个人还要问'人为什么要对父母尽孝'这样的问题,他恐怕就已经没有资格做一个人了。"牟先生的这个回答,或许需要做一点修正,因为由于文化的差异,作为西方人,他们并不认为子女对父母尽孝是天经地义的。但对于中国人而言,牟先生的这一论断无疑又是恰当的。因为在儒家看来"孝悌"乃"仁"之本,一个不能尽孝悌之道的人是无"仁"可言的,而"仁"为人之本性,一个无"仁"的人就失却了人的本性,失却了人之本性,当然就"没有资格做一个人了"。不是人,那是什么呢?这也是孟子早说过了的:是穿着人的衣服、戴着人的帽子,但仅有人之"形"而无人之"魂"的动物——衣冠禽兽。

第二,现代社会中见义不勇为甚至见死不救的情状,的确反衬出了儒家的一个困境。冯友兰先生讲过一个故事:王阳明的一个后学做县官时,曾经捉到一个小偷。在审问时,为了促其醒悟,他对小偷讲了一番关于良心或曰良知的道理。小偷大笑着反问:"请告诉我,我的良知在哪里?"当时是热天,小偷喊热,县官让小偷把上衣脱掉了。小偷还喊热,他让小偷把裤子也脱掉。小偷期期艾艾地说:"这……这恐怕不大好吧?"他把桌子一拍,大喝一声:"这就是你的良知!"这个故事没有说,这个小偷通过上面的谈话是否幡然醒悟、良心发现了。但我认为很难。当一个人自甘堕落,甚至甘于、安于行不仁之事时,儒家道德对之确实缺乏足够的影响力和约束力。这也是儒家思想碰到的一个千古难题。但是我们同样也不要忘记,当一个人通过"觉仁"而有志于"践仁"时,儒家的道德义理的确可以发挥巨大的精神力量。曾子所谓

"自反而缩,虽千万人,吾往矣"(反躬自省,正义确实在我这边,就算对方是千军万马,我也依然要勇往直前),就是这种力量的生动写照。同样,也是在儒家道德义理的激励下,在历史上,一代又一代的仁人志士不仅在日常生活中行仁践义,而且在极端情况下杀身成仁,舍生取义,谱写了一曲曲生命的壮歌,成为中华民族的脊梁。在这里,基本的问题还是是做一个孜孜以求利、放于利而行,因而无德性、无操守、肆无忌惮的小人,还是做一个义以为上、行仁践义,因而重德操、求上达,行己有耻的君子的"生命的抉择"的问题。到底该做怎样的选择,是值得每一个有血性、有心灵、有追求的人深思的。

第三,上述情况也清楚地表征了当代中国道德缺失的严重性。由于市场经济带来的消极影响,也由于在社会转型的过程中,精神文明建设着力不够,当代中国出现了严重的道德缺失。孟子曾经说过的"孜孜为利"、"上下交征利"的情况不幸在一定程度上变成了现实。一些人为了自己一己之私利,不惜损害他人与大众的利益,无所不用其极,以致于假冒伪劣盛行,吃的、穿的、用的,不仅充斥着伪劣品,而且有的甚至就是"毒品"。与此相应,不仅人与人之间缺乏基本的诚信,而且很多人甘于、安于以冷漠之心待人。几年前发生在广东佛山的"小悦悦事件"就是这种冷漠状况的一个极端例证。2011 年 10 月 13 日,刚刚 2 岁的女孩小悦悦相继被两车碾压,不仅 2 位驾车者先后扬长而去,而且 7 分钟内 18 人路过,却都视而不见,漠然而去。后虽经一名拾荒阿姨施以援手,小悦悦却终因伤重医治无效而离世。

针对当代中国的道德现状,重提儒家"人禽之辨"的古训实有必要。面对这些"人"们,我们不禁要问:恻隐之心哪去了?做"人"的底线何在?面对上述情况,我们应当深思,更应当警醒！当年孟子就曾经说过，"上下交征利而国危矣"。当代的中国，的确到了必须重振道德的时候了。做有德君子，是时代的呼唤。与其寄望他人，何不从我做起？

原典选读

子曰:"人而不仁,如礼何? 人而不仁,如乐何?"

子曰:"富与贵,是人之所欲也。不以其道得之,不处也。贫与贱,是人之所恶也。不以其道得之,不去也。君子去仁,恶乎成名? 君子无终食之间违仁,造次必于是,颠沛必于是。"

曾子曰:"士不可以不弘毅,任重而道远。仁以为己任,不亦重乎? 死而后已,不亦远乎?"

子曰:"吾十有五而志于学,三十而立,四十而不惑,五十而知天命,六十而耳顺,七十而从心所欲,不逾矩。"

子曰:"君子喻于义,小人喻于利。"

子曰:"君子上达,小人下达。"

子曰:"君子和而不同,小人同而不和。"

子曰:"君子周而不比,小人比而不周。"

在陈绝粮,从者病,莫能兴。子路愠见曰:"君子亦有穷乎?"子曰:"君子固穷,小人穷斯滥矣。"

子曰:"君子坦荡荡,小人长戚戚。"

子曰："君子易事而难说也。说之不以道，不说也；及其使人也，器之。小人难事而易说也。说之虽不以道，说也；及其使人也，求备焉。"

子曰："君子成人之美，不成人之恶。小人反是。"

子曰："天生德于予，桓魋其如予何？"

子畏于匡，曰："文王既没，文不在兹乎？天之将丧斯文也，后死者不得与于斯文也；天之未丧斯文也，匡人其如予何？"

子曰："莫我知也夫！"子贡曰："何为其莫知子也？"子曰："不怨天，不尤人；下学而上达。知我者其天乎！"

子贡问曰："有一言而可以终身行之者乎？"子曰："其'恕'乎！己所不欲，勿施于人。"

子贡曰："如有博施于民而能济众，何如？可谓仁乎？"子曰："何事于仁！必也圣乎？尧舜其犹病诸！夫仁者，己欲立而立人，己欲达而达人。能近取譬，可谓仁之方也已。"

子曰："参乎！吾道一以贯之。"曾子曰："唯。"子出，门人问曰："何谓也？"曾子曰："夫子之道，忠恕而已矣。"

——节选自《论语》

孟子曰："仁也者，人也。合而言之，道也。"

公都子曰："告子曰：'性无善无不善也。'或曰：'性可以
为善，可以为不善；是故文武兴，则民好善；幽厉兴，则民好
暴。'或曰：'有性善，有性不善；是故以尧为君而有象，以瞽瞍
为父而有舜；以纣为兄之子且以为君，而有微子启、王子比
干。'今曰'性善'，然则彼皆非与？"

孟子曰："乃若其情，则可以为善矣，乃所谓善也。若夫
为不善，非才之罪也。恻隐之心，人皆有之；羞恶之心，人皆
有之；恭敬之心，人皆有之；是非之心，人皆有之。恻隐之心，
仁也；羞恶之心，义也；恭敬之心，礼也；是非之心，智也。仁
义礼智，非由外铄我也，我固有之也，弗思耳矣。故曰：'求则
得之，舍则失之。'或相倍蓰而无算者，不能尽其才者也。诗
曰：'天生蒸①民，有物有则。民之秉夷，好是懿德。'孔子曰：
'为此诗者，其知道乎！故有物必有则，民之秉彝②也，故好是
懿③德。'"

公都子问曰："钧是人也，或为大人，或为小人，何也？"

孟子曰："从其大体为大人，从其小体为小人。"

曰："钧是人也，或从其大体，或从其小体，何也？"

曰："耳目之官不思，而蔽于物，物交物，则引之而已矣。
心之官则思，思则得之，不思则不得也。此天之所与我者，先
立乎其大者，则其小者弗能夺也。此为大人而已矣。"

孟子曰："人之所不学而能者，其良能也；所不虑而知者，
其良知也。孩提之童，无不知爱其亲者；及其长也，无不知敬
其兄也。亲亲，仁也；敬长，义也。无他，达之天下也。"

---

① 蒸：众多。
② 彝：常规。
③ 懿：美好。

孟子曰："人皆有不忍人之心。先王有不忍人之心，斯有不忍人之政矣。以不忍人之心，行不忍人之政，治天下可运之掌上。

所以谓人皆有不忍人之心者，今人乍见孺子将入于井，皆有怵惕恻隐①之心。非所以内交②于孺子之父母也，非所以要誉于乡党朋友也，非恶其声而然也。

由是观之，无恻隐之心，非人也；无羞恶之心，非人也；无辞让之心，非人也；无是非之心，非人也。恻隐之心，仁之端也；羞恶之心，义之端也；辞让之心，礼之端也；是非之心，智之端也。人之有是四端也，犹其有四体也。有是四端而自谓不能者，自贼者也；谓其君不能者，贼其君者也。

凡有四端于我者，知皆扩而充之矣，若火之始然，泉之始达。苟能充之，足以保四海；苟不充之，不足以事父母。"

孟子曰："广土众民，君子欲之，所乐不存焉。中天下而立，定四海之民，君子乐之，所性不存焉。君子所性，虽大行不加焉，虽穷居不损焉，分定故也。君子所性，仁义礼智根于心。其生色也，睟③然见于面，盎于背，施于四体，四体不言而喻。"

孟子曰："伯夷，圣之清者也；伊尹，圣之任者也；柳下惠，圣之和者也；孔子，圣之时者也。孔子之谓集大成。集大成也者，金声而玉振之也。金声也者，始条理也；玉振之也者，终条理也。始条理者，智之事也；终条理者，圣之事也。智，譬则巧也；圣，譬则力也。由射于百步之外也，其至，尔力也；

---

① **怵惕恻隐之心**：惊惧、同情之心。
② **内交**："内"同"纳"，"内交"即结交。
③ **睟**（suì）润泽。

其中,非尔力也。"

曰:"宰我、子贡、有若智足以知圣人。汙[1],不至阿其所好。宰我曰:'以予观于夫子,贤于尧舜远矣。'子贡曰:'见其礼而知其政,闻其乐而知其德。由百世之后,等百世之王,莫之能违也。自生民以来,未有夫子也。'有若曰:'岂惟民哉?麒麟之于走兽,凤凰之于飞鸟,太山之于丘垤[2],河海之于行潦,类也。圣人之于民,亦类也。出于其类,拔乎其萃,自生民以来,未有盛于孔子也。'"

孟子曰:"人之所以异于禽于兽者几希,庶民去之,君子存之。"

孟子曰:"尽其心者,知其性也。知其性,则知天矣。存其心,养其性,所以事天也。夭寿不贰,修身以俟之,所以立命也。"

——节选自《孟子》

人之性恶,其善者伪也。——今人之性,生而有好利焉,顺是,故争夺生而辞让亡焉;生而有疾恶焉,顺是,故残贼生而忠信亡焉;生而有耳目之欲,有好声色焉,顺是,故淫乱生而礼义文理亡焉。然则从人之性,顺人之情,必出于争夺,合于犯分乱理,而归于暴。故必将有师法之化,礼义之道,然后出于辞让,合于文理,而归于治。用此观之,人之性恶明矣,其善者伪也。

---

① 汙(wū):污,这里为卑劣之意。
② 垤(dié):这里用为小土堆之意。

85

故枸木①必将待檃栝②、烝矫然后直；钝金必将待砻③厉然后利；今人之性恶，必将待师法然后正，得礼义然后治，今人无师法，则偏险而不正；无礼义，则悖乱而不治，古者圣王以人性恶，以为偏险而不正，悖乱而不治，是以为之起礼义，制法度，以矫饰人之情性而正之，以扰化人之情性而导之也，始皆出于治，合于道者也。今人之化师法，积文学，道礼义者为君子；纵性情，安恣睢，而违礼义者为小人。用此观之，人之性恶明矣，其善者伪也。

孟子曰："今之学者，其性善。"

曰：是不然。是不及知人之性，而不察乎人之性伪之分者也。凡性者，天之就也，不可学，不可事。礼义者，圣人之所生也，人之所学而能，所事而成者也。不可学，不可事，而在人者，谓之性；可学而能，可事而成之在人者，谓之伪。是性伪之分也。今人之性，目可以见，耳可以听；夫可以见之明不离目，可以听之聪不离耳，目明而耳聪，不可学明矣。

……

问者曰："人之性恶，则礼义恶生？"

应之曰：凡礼义者，是生于圣人之伪，非故生于人之性也。故陶人埏埴④而为器，然则器生于陶人之伪，非故生于人之性也。故工人斲木而成器，然则器生于工人之伪，非故生于人之性也。圣人积思虑，习伪故，以生礼义而起法度，然则礼义法度者是生于圣人之伪，非故生于人之性也。若夫目好色，耳好听，口好味，心好利，骨体肤理好愉佚，是皆生于人之情性者也；感而自然，不待事而后生之者也。夫感而不能然，

---

① 枸(gǒu)木：弯曲之木。
② 檃栝：矫正竹木邪曲的工具。揉曲为檃，正方称栝。
③ 砻：磨。
④ 埏(shān)埴：用水把细密的黄粘土埏和在一起，并加以揉捏捶击。

必且待事而后然者,谓之生于伪。是性伪之所生,其不同之征也。

故圣人化性而起伪,伪起而生礼义,礼义生而制法度;然则礼义法度者,是圣人之所生也。故圣人之所以同于众,其不异于众者,性也;所以异而过众者,伪也。

……

孟子曰:"人之性善。"

曰:是不然。凡古今天下之所谓善者,正理平治也;所谓恶者,偏险悖乱也:是善恶之分也矣。今诚以人之性固正理平治邪,则有恶用圣王,恶用礼义哉?虽有圣王礼义,将曷加于正理平治也哉?今不然,人之性恶。故古者圣人以人之性恶,以为偏险而不正,悖乱而不治,故为之立君上之埶以临之,明礼义以化之,起法正以治之,重刑罚以禁之,使天下皆出于治,合于善也。是圣王之治而礼义之化也。今当试去君上之埶,无礼义之化,去法正之治,无刑罚之禁,倚而观天下民人之相与也。若是,则夫强者害弱而夺之,众者暴寡而哗之,天下悖乱而相亡,不待顷矣。用此观之,然则人之性恶明矣,其善者伪也。

……

"涂之人①可以为禹。"曷谓也?

曰:凡禹之所以为禹者,以其为仁义法正也。然则仁义法正有可知可能之理。然而涂之人也,皆有可以知仁义法正之质,皆有可以能仁义法正之具,然则其可以为禹明矣。今以仁义法正为固无可知可能之理邪?然则唯禹不知仁义法正,不能仁义法正也。将使涂之人固无可以知仁义法正之质,而固无可以能仁义法正之具邪?然则涂之人也,且内不

---

① 涂:通"途"。涂之人:路上的人,指普通民众。

可以知父子之义,外不可以知君臣之正。今不然。涂之人者,皆内可以知父子之义,外可以知君臣之正,然则其可以知之质,可以能之具,其在涂之人明矣。今使涂之人者,以其可以知之质,可以能之具,本夫仁义法正之可知可能之理,可能之具,然则其可以为禹明矣。今使涂之人伏术为学,专心一志,思索孰察,加日县①久,积善而不息,则通于神明,参于天地矣。故圣人者,人之所积而致矣。

——节选自《荀子·性恶》

所谓平天下在治其国者,上老老而民兴孝,上长长而民兴悌,上恤孤而民不倍,是以君子有絜矩之道也。所恶于上,毋以使下;所恶于下,毋以事上;所恶于前,毋以先后;所恶于后,毋以从前;所恶于右,毋以交于左;所恶于左,毋以交于右;此之谓絜矩②之道。

——节选自《大学》

由仁义行,非行仁义,则仁义已根于心,而所行皆从此出。非以仁义为美,而后勉强行之,所谓安而行之也。

——节选自朱熹《四书章句集注·孟子集注》

---

① 县:通"悬"。
② 絜(xié)矩:絜,量度。矩,画直角或方形用的尺子,引申为法度,规则。

义利之辨

　　通俗地说,所谓"义"就是道德上的"应当","利"则指物质利益。"义利之辨"所集中讨论的是道德与利益的关系问题。作为一种成德之学,"义利之辨"构成了儒学的核心论题之一。对此,不少宋明理学家都曾不约而同地做出过明确的论述。二程指出:"孟子辨舜跖之分,只在义利之间。"陆九渊教人,首在辨义理。张栻在《孟子讲义》"序"中指出:"学者潜心孔孟,必得其门而入,愚以为莫先于义利之辨。"朱熹更是鲜明地强调:"义利之说乃儒者第一义。"由于"义利之辨"所关涉问题的重要性,也由于中国现代社会与中国传统社会之间的差异,儒家"义利之辨"大概是近代以来受到社会各界误解最多亦最为集中的问题之一。正因为此，虽然改革开放以来已出现了大量力图合理阐释儒家"义利之辨"的研究成果，但对儒家"义利之辨"的一些误解却依然没有得到有效澄清。造成这一状况的原因当然是多方面的。在我看来，对儒家"义利之辨"的完整内涵阐释尚不充分应该也是其中的缘由之一。本部分将集中对儒家"义利之辨"的基本内涵做出概括和讨论，并有针对性地对一些有代表性的误解儒家"义利之辨"的观点做出辨析。而由于儒学的另一个重要论题"理欲之辨"与"义利之辨"之间存在着相当密切的关系，将在这一部分一并讨论。

义以为上的精神追求

概括而言,儒家"义利之辨"包含了四个方面的基本内容:第一,明确反对见利忘义;第二,肯定合理之利的正当性;第三,在动机上反对"以义求利",但在结果上可以接受"因义得利";第四,在特殊情况下则牺牲利益而成就道义,其极端的情况就是孔子所谓"杀身成仁"、孟子所谓"舍生取义"。综而言之,儒家"义利之辨"归根结底体现为一种"义以为上"即以德性的要求作为人之所以为人的安身立命之本的精神追求。当道义与利益、德性精神与感性欲求发生冲突时,志士仁人理当超越利益的纠结与感性的欲求而致力于对道义与德性的追求,并在其中得到精神的满足与心灵的自由。由此,超越物欲与私利的诱惑,不断提升自己的精神境界,成就以德性精神为依归的理想人格,就成为儒家精神追求的一个重要特色。所谓"不以物喜，不以己悲"；所谓"安贫乐道"、"淡泊明志"；所谓"先天下之忧而忧，后天下之乐而乐"；所谓"富贵不能淫，贫贱不能移，威武不能屈"；所谓"人生自古谁无死，留取丹心照汗青"；所谓"天地与我并生，万物与我为一"；所谓"上下与天地同流"、"仁者与万物为一体"，都是这种精神境界的不同表述方式。

一、反对见利忘义

明确反对见利忘义，是儒家义利之辨的鲜明特色。正如前文已经指出的，通过修身养性与行仁践义，以成就人之所以为人的理想人格，在一定意义上堪称儒学展开自己思想系统的逻辑起点。顺此而进，儒学把人区别于动物的根本点归结为具有仁、义、礼、智等德性，表现出对德性与德行的高度注重。为此，作为儒家开山鼻祖的孔子一改此前以社会地位来区分君子与小人的观念，而将是否具有德性与德行作为区分君子与小人的根本标准，进而做出了为此后儒家"义利之辨"奠定了基本精神方向，事实上也流传十分广泛的论断："君子喻于义，小人喻于利。"这也就是说，在孔子看来，作为生命的个体究竟是做君子还是做小人，两者的分界线正在于是追求义还是追求利，或者说是按照仁道的要求规范自己的言行还是只顾为自己谋取一己之私利。做有德君子而不做只知道追求自己私利的小人，正是儒家对人的基本要求。如何才能做到这一点呢？儒家一方面明确提倡"见得思义"、"见利思义"，另一方面也明确反对见利忘义、"放于利而行"。也就是说，一个人面对利益时，首先应当有道德的自觉，应当把做一个有德君子作为自己的自觉追求，一定要对所面对的利益究竟是否属于自己"应当"得到的有清楚的认识。与此相对应，见到利益就完全把道德置诸脑后甚至于把追求个人利益当作自己行事的基本准则,则是儒家所坚决反对的。

二、肯定合理之利的正当性

在明确反对见利忘义的同时,儒家也鲜明地肯定了合理之利的正当性。由于儒家从重德、成人的基本要求出发,充分突显了"义"的首要性,而且从孔子那里,就开创了"罕言利"的记录,再加上孟子有"王何必曰利?亦有仁义而已矣"的说法,《汉书·董仲舒传》留下了"正其谊不谋其利,明其道不计其功"的记载,以及宋明理学家严辨"义利",这就容易给人们造成一种印象,似乎儒家在"义利"问题上是只重"义"而不及"利"的。应该说,这一认识是不完整、不全面的。实际上,在提倡"见得思义"而反对"放于利而行"的基础上,儒家肯定了合理之利的正当性。接下来我们就来看看作为儒家主要奠基人物的孔子、孟子与荀子的相关论述。

《论语》中记载了孔子的一段话:富贵是人们所期盼的,但用不正当的方式去谋求,君子所不为。贫贱是人们所厌恶的,但用不正当的方式去摆脱,君子亦不为。君子连吃一顿饭的时间也不能离开"仁",就是在仓促匆忙的时候、颠沛流离的时候也一定和"仁"在一起。透过这段话,我们不难得出三点结论。其一,孔子明确承认,富与贵,是一般人之所欲求的;贫与贱,是一般人之所厌恶的。这其中显然包含了认可合理之利的正当性的意涵。其二,无论是得到富贵还是去除贫贱,都应当为之以道,而不能肆意妄为。其三,对于一个君子而言,首要地是成就仁德,因为这是君子之所以为君子的本质之所在。这段话可以与《论语》中的另一段话相互印证:财富如果可以用正当的方式求得,就是做执鞭者,我也可以为之。如不可求,还是干自己喜欢的事情。正是立足于这样的认识,《论语》标举了"义然后取"的原则。这说明,在孔子那里,在提倡"见得思义"而反对"放于利而行"的基础上,只要是合乎道德要求的、理当得到的利益,完全可以心安理得地取得。

孟子同样也明确地肯定了一般人或曰普通民众之物质利益的合理性。面对战乱时代一如既往地追求王道,是孟子思想的一个重要特点。为达此目标,孟子提出了"仁政"的主张,并在政治、经济、教育等方面系统地提出了行"仁政"的具体举措。其经济上施行"井田制"、制民之产、使民以时、轻徭薄赋等具体举措的一个基本立足点,就是首先保障普通民众物质利益方面的需求。这其中显然同样包含了认肯普通民众合理之利的正当性的意涵。可以说,在孟子这里,不仅肯定普通民众合理之利的正当性,而且采取制度性的措施保障普通民众获得其正当利益,恰恰构成了王道的基础和前提。孟子的下面一段话清楚地体现了这一点:不违农时,谷粮就吃不完;密孔的渔网不下池塘,鱼鳖就取之不尽;定时砍伐林木,木材便用之不竭。谷粮和鱼鳖吃不完,木材用不尽,这就能使老百姓养生加死而无遗憾了。老百姓养生送死没有遗憾,正是王道的开始。在五亩的住宅田旁种上桑树,五十岁以上的人就可以穿丝绸衣服了;不失时节地饲养、繁殖鸡鸭狗猪,七十岁以上的人就可以经常吃肉了。百亩的田地不误农时得到耕种,数口之家就不会饿肚子了。注重乡校的教育,强调孝顺父母、爱敬兄长的道理,须发斑白的老人们就不再用肩挑头顶行走在道路上了。能使年满七十岁的人穿上丝绸、吃上肉食,能使老百姓不缺衣少食,却还不能称王于天下的,从来没有过。

可见,孟子明确地把"养生丧死无憾"视为"王道之始"。在保障普通民众的物质利益以"富之"的基础上,再施以教化,就有可能推行王道于天下。孟子还进一步分析了何以会如此的原因。他指出：对于一般的民众而言，有固定的资产往往是具有稳固的道德水平与行为准则的保障，缺乏固定的资产，则其道德水平与行为准则就是缺乏稳定性的。对于一般民众，若无固定的资产，则会因此而缺乏稳固的道德水平与行为准则，一旦如此，便会放荡无耻，胡作非为。等到他们因此获罪，便施以刑罚，这是祸害人民。哪有仁人在上位却可以用这种方法祸害人民的呢？因此之故，开明的君主为民众置办资业，一定使他们对上可以赡养父母，对下可以养活妻子儿女；丰收的年份终年丰衣足食，灾荒的年份则不至于饥饿而死。然后促使他们走向善之路，故而民众能够轻松地跟从。而现在呢，民众的资产对上不足以赡养父母，对下不足以抚养妻子儿女；丰收的年份终年劳苦，灾荒之年不免于死亡。在这样的情况下，人民避死求生犹恐不及，哪有闲暇去讲求礼义呢！大王如果想推行王道，为什么不从根本上入手呢？在这里，我们甚至可以得出对普通民众而言，"有恒产"是"有恒心"之"本"即合理的利益是讲究礼义之"本"的结论。当然，我们同时也不要忘记，对于士或曰君子，孟子同孔子一样，也提出了更高的要求。在他看来，"无恒产而有恒心者，惟士为能"。这句话的另外一面也就是说，如果一个人不能做到"无恒产而有恒心"，他就没有资格做一个不同于普通民众的士或君子。这其中显然包含了君子应当"以义为先"的要求。

作为先秦儒家的殿军，荀子同样也明确地肯定了一般人或曰普通民众之物质利益的合理性。在他看来，义与利是人们所追求的两个方面，即使尧舜，也不能使民众不追求私利，只是能使民众的欲利之心不超克其好义之心。当然，在归根结底的意义上，荀子仍然像孔子和孟子一样，明确强调了义是第一位的、利是第二位的观念。他指出，"先义而后利者

荣,先利而后义者辱"。因此,行义是做人处事的首要原则:
"从道不从君,从义不从父,人之大行也。"而究竟是"以义为
先"还是"以利为本",其结果则鲜明地表现为"治世"与"乱
世"的差别:"故义胜利者为治世,利克义者为乱世。"

三、反对"以义求利",接受"因义得利"

儒家义利之辨的第三方面的内容,是在动机上反对"以
义求利",但在结果上可以接受"因义得利"。也就是说,反对
在主观动机方面假仁义之名而行谋利益之实,但却并不反对
在客观效果上因为行义而得到正当的利益特别是公共的大
利。这一点体现得最典型的就是《孟子·梁惠王上》。正如
人们所注意到的,这一章的确可以视为孟子直接讨论"义利"
关系问题的重要文献之一。面对梁惠王"叟不远千里而来,
亦将有以利吾国乎"的提问,孟子回答说:"王,何必曰利,亦
有仁义而已矣。"表面看来,孟子似乎是将道德与利益对立了
起来,只讲义,不讲利。不少现代研究者正是由此而认定孟
子乃至儒家是主张义利对立的。但是,仔细的分析表明,这
种认识是不够准确、完整的。

面对梁惠王的问题,孟子给出"何必曰利,亦有仁义而已
矣"这一回答的理由何在呢?因为"上下交征利而国危矣":
大王说"怎样有利于我的国家",大夫说"怎样有利于我的封
地",一般人士和老百姓说"怎样有利于我自己",结果是上下
互相争夺利益,国家就处于危险境地了!在拥有一万辆兵车
的国家里,杀害其国君者,必定是拥有一千辆兵车的大夫;在
拥有一千辆兵车的国家里,杀害其国君者,必定是拥有一百
辆兵车的大夫。这些人在一万辆兵车中就拥有一千辆,在一
千辆兵车中就拥有一百辆,其拥有不算不多。但如果先利后
义,不夺得国君的地位就不会满足。反之,从来没有行仁却

抛弃父母者,也没有践义却不顾君王者。因此,大王说仁义就行了,何必说利呢?接下来,孟子进一步讲明了在上位者应当"与民偕乐",应当保障庶民的物质生活需求并富之、教之,"仁者无敌",应当"不嗜杀人",应当以不忍之心行不忍之政等方面的道理。最后强调指出,如果凭借武力"欲辟土地,朝秦楚,莅中国而抚四夷",只能给国家和人民带来比"缘木求鱼"还要严重的灾难性;相反,如果"发政施仁"或曰"施仁政于民",就可以"保民而王,莫之能御"。概括而言,孟子此章的基本主张在于:如果整个社会的各个阶层都只知道讲利并互相陷入利益的纷争,必将给国家与包括君主在内的社会各阶层均带来亡国灭身等巨大的危害;如果希图凭借武力而开疆拓土、一统天下,其结果也必将因为四面树敌而危及国家与社会的安定与存亡;只有行仁践义、以不忍之心行不忍之仁政,才能"沛然莫之能御"而"王天下"即结束战乱、走向统一。毫无疑义,这不仅符合君主自身的利益,而且也是当时黎民百姓最大的利益。而这种"利"又是在行义的过程中得以实现的。这怎么能说是要将"义"与"利"对立起来呢?就其客观效果而言,甚至可以说是"义利双成"。当然,正如孟子"何必曰利,亦有仁义而已矣"的回答中所显示的,孟子的相关主张不能归结为是主动自觉地"以义求利",而是在动机上反对"以义求利",但在结果上可以接受"因义得利"。亦即反对在主观动机方面假仁义之名而行谋利益之实,但却并不反对在客观效果上因为行义而得到正当的利益特别是公共的大利。对于这一点,我们在后面还要做出更具体的辨析。

四、在特殊情况下则牺牲利益而成就道义

儒家强调,在特殊情况下则应当牺牲利益而成就道义,

其极端的情况就是孔子所谓"杀身成仁"、孟子所谓"舍生取义"。社会生活与具体的人生际遇都是纷繁复杂的,因而,在某些情况下,也会出现义与利尖锐对立、不可调和,只能做出非此即彼的选择的情况。在这种情况下,应当以怎样的原则来对待义与利呢? 正是在这里,儒家"义利之辨"的确体现出了更为注重道义而非更为注重利益的倾向,成为儒家"义利之辨"相对于墨家与法家的一个重要特色。在这方面,孔子和孟子均有明确论述。孔子指出:"志士仁人,无求生以害仁,有杀身以成仁。"如果说这里孔子是直接在一般性的意义上对"仁人志士"提出了"无求生以害仁,有杀身以成仁"的要求的话,孟子则是清楚地展示了在特殊情况下"义"与"利"之间所具有的巨大张力,并明确地揭示了何以必须"舍生而取义"的理由。孟子曰:鱼,是我想要的;熊掌,也是我想要的;如果两者不可能同时得到,则舍弃鱼而要熊掌。生命,是我所的追求;道义,也是我所追求的;如果两者不可能同时得到,那就舍弃生命而选择道义。生命是我所追求的,但我所追求的还有超过生命的东西,那就不能为了保生而苟且从事。死亡是我所厌恶的,但还有比死亡更令我厌恶者,所以即使碰上了威胁生命的祸患也将在所不避。假使人所期盼的不超过求生,那么凡是有助于求生的手段,有什么不可以用的呢? 假使所厌恶的不超过死亡,那么凡是可以避开灾患、逃避死亡的事情,有什么不可以去做的呢? 之所以有些有助于求生的手段却不去用,有些可以避开灾患、逃避死亡的事情却不去做,是因为还有比生命更让人渴望的追求,有比死亡更让人厌恶的事情。不但贤者有这样的心思,人人都有,只不过贤者没有放失而已。透过孟子的上述话语,我们可以得出如下四点结论:第一,正像对鱼与熊掌并不是任何时候都只能二者择一一样,"义"与"生"也是可以共存并同为我所"欲"的；第二，只是在"二者不可得兼"的情况下，才不得不做出"舍鱼而取熊掌"、"舍生而取义"的选择；第三，之所以做出"舍生而取义"即为了道义而安然赴死的选择，是因为在"义"与"生"相互冲突的情况下，追求"义"的价值超过了生命本身的价值，对于违"义"的厌恶超过了对于死亡本身的厌恶；第四，仍然同孔子一样，在孟子这里，"舍生而取义"的要求也是首先针对贤者或曰仁人志士而提出的。

可见，在儒家看来，当遇到义与利发生尖锐冲突而不可调和的特殊情况时，志士仁人决不为了苟活而做出损害仁义的事情，而是宁可牺牲自己也要成仁践义。儒家的这一主张是否陈义过高呢？我们打一个比方，就不难清楚地理解。当年日本侵略中国时，如果一个中国人面临着要么投降才能活命，要么不投降就得付出生命的代价的二难困境，难道我们应当选择投降么？

五、儒家"义利之辨"辨正

前文已指出，对于儒家的"义利之辨"，存在着种种误解。为了更准确地了解儒家"义利之辨"，我们在这里对其中主要的误解予以概要的辨正。

我们注意到，上述误解主要包括了以下三种：一是认为儒家"义利之辨"产生发展于古代，在市场经济的今天不仅不具有积极意义，而且还事实上成为了历史的负担；二是强调儒家"义利之辨"的基本精神在于义利对立基础上的取义舍利或重义轻利；三是从肯定儒家"义利之辨"的积极意义出发，认为其中包含了主张"以义取利"的内容。

在我们看来，上述误解儒家"义利之辨"的第一种观点出现的基本原因，是因为仅仅从"时代性"这一单一维度来看待文化与中国文化，在传统与现代之间僵硬地持守了二元对立、非此即彼的立场,从而遮蔽了现代对于传统既继承又超越的辩证关系。时至今日,特别是习近平总书记高度肯定了中华优秀传统文化的当代价值之后,这种主张的片面性已为越来越多的人们所认识,这里不再多加讨论。

关于第二种观点,从上述对儒家"义利之辨"基本内涵的梳理中不难看出,将其基本精神视为由义利对立出发而主张取义舍利,是对问题不符合实际的、简单化的理解。儒家的确是首重义,但这并不意味着儒家是以义利对立作为理解义利关系之基本前提的。以孔孟荀为代表的先秦儒家,不仅均肯定了合理之利的正当性,而且在客观效果上接受"因义得利",这表明:在儒家对于义利关系的整体理解中,是包含了"义利统一"之向度的。因此,即使儒家因为相比较而言更为重义因而对利的注重没有达到与义同等的程度,其所谓"重义轻利"也不是简单地建立在义利对立的基础之上。只是在特殊的境遇中,出现了义与利尖锐对立、不可调和的情况,儒家才明确主张在义与利之间做出非此即彼的选择,牺牲利益而成就道义。其极端情况就是"生"与"义""二者不可得兼",因"所欲有甚于生者"、"所恶有甚于死者"而"杀身以成仁"、"舍生而取义"。我们显然不能否认在实际生活中义利之间出现尖锐对立、不可调和境况的可能性,也不能简单地将儒家"义利之辨"所针对的这一境况的相关主张扩大化甚至绝对化,而应当对儒家"义利之辨"的完整内容做出具体的、实事求是的认识。

对于第三种观点,我们在这里要特别强调的是,在客观效果上接受"因义得利"不能归结为"以义取利"。我们认为,这也是讨论儒家"义利之辨"时必须加以认真辨析的一个原则性问题。所谓"以义取利",就是主动自觉地打着道义的旗号而追求、谋取利益。这实际上是儒家所一直明确反对的一种行为方式。当齐宣王问到"齐桓、晋文之事可得闻乎"这一问题时,孟子对曰:孔子的学生没有讲论桓文之事者,所以后世没有传下来。我没有听闻过。为什么"仲尼之徒无道桓文之事者"呢?我们从孟子的相关论说中可以看出一些端倪。在谈到齐桓、晋文等五霸与尧舜、汤武的不同时,孟子指出:尧舜实行仁义是根于本性,商汤周武实行仁义是身体力行,五霸实行仁义则只是借来牟利,因而齐桓、晋文是不能与尧舜、汤武等儒家圣贤等量齐观的。在另一处,孟子说道:天下有道,可以通过自己的身体力行而弘扬、光大道;天下无道,可以牺牲自己的生命以追求道。没听说过以道屈从于人的。而如果一味以仁义之名去谋利,在儒家看来,就可以说是"以道殉人"了。荀子则进而具体地论说了何以"仲尼之徒无道桓文之事者"的原因。当有人问到"仲尼门下,即使小童,也羞于称道五霸。这是为什么呢"这一问题时,荀子的回答是:是的!五霸确实不值得称道。即以其中最负盛名的齐桓公而论,在执政之前则为了争夺国君的位置而杀死了自己的哥哥;执政后,家中未出嫁的姑姑、姐姐与妹妹竟有七个;宫廷之内,纵情作乐,过分奢侈,齐国收入的一半还不够维持他的消费;对外,他欺骗邾国、袭击莒国,吞并的国家多达三十五个。他的所作所为是如此险恶肮脏、骄奢淫逸,怎么足以为孔子的门下所称道呢!这就是说,在荀子看来,即使是作为五霸之首的齐桓公,虽建立过一些功业,但却因为行事不合于道义而不足以"称乎大君子之门"。

宋儒朱熹则更是直接对这一问题做出了明确回答。当有人不赞成《汉书·董仲舒传》所载"正其谊不谋其利,明其道不计其功"一语,认为董仲舒说得不对,因为是义必有利,是道必有功时,朱熹鲜明地指出:才如此,人必求功利而为之,这就不足为训了。固然可以说得道义则功利自至,但是也有得道义而功利不至的情况,如果强调是义必有利,是道必有功,"人将于功利之徇"即只追求功利,而不顾道义了。所以他认为"仲舒所立甚高",后世之所以不如古人的原因,是因为没有真正参透道义功利关。朱熹一语中的地道出了其中的症结之所在:如果为"利"而"义",其最终结果必然是人们"不顾道义"而"徇"利。明儒王阳明也表达了同样的意思:之所以说"仁人者,正其谊不谋其利,明其道不计其功",是因为一有谋计之心,则虽正谊明道,亦难免陷于对功利的追求耳。这就涉及到了"儒家"之所以为"儒家"的根本。作为一种成德之学,儒学所关注的中心是德性人格的成就。在儒家看来,真正的德性是高度自主而不为外在利益所左右的。而所谓"以义取利"即自觉地以义为旗号而行谋利之实,显然不是一种真正的道德行为。因此,如果把儒家"义利之辨"在客观效果上可以接受"因义得利"归结为"以义取利",无论出于怎样的主观愿望,都可以说是不仅完全消解了儒家讨论义利问题的价值意义,而且有违于儒家的基本理论立场。这也正是孔子、孟子、荀子、董仲舒、朱熹、王阳明等儒家学派的主要代表人物对此明确加以反对的基本原因。

理欲之辨

与"义利之辨"有着密切关联的,是"理欲之辨"。我们在上文中已经指出,通俗地说,所谓"义"就是道德上的"应当","利"则指物质利益。"义利之辨"所集中讨论的是道德与利益的关系问题。而所谓"理欲之辨",用宋明理学家的话说,又叫"天理人欲之辨"。在儒学中,"天理"显然是体现了"道德上的应当"的,"人欲"也往往是关联于物质利益的。因而,"理欲之辨"可以看做是从一个侧面体现了"义利之辨"。正如杨国荣教授曾经指出的,一般而论,利总是指向人的感性需要,利的实现最终表现为人的感性需要的满足,义则更直接地体现了理性的要求,因而义利关系逻辑地关联着理欲关系。在儒家思想中,如果说"义利之辨"在先秦不仅已经为孔孟荀等早期儒家所讨论而且奠定了基本的学理规模,"理"与"欲"的关系问题则虽在先秦时期就已实际上为人们所注意到,但一直到了宋明理学时期,才成为集中谈论的话题。事实上,不少宋明理学家就曾将义利问题与理欲问题放在一起加以论述,朱熹就是其中的典型代表。如朱熹曾告诫他人:"将古今圣贤之言,剖析义利处,反复熟读,时时思省义理何自来,利欲从何而有,二者于人,孰亲孰疏,孰轻孰重;必不得已,孰取孰舍,孰缓孰急。初看之时,似无滋味,久之须自见得合剖判处,则自然放得下矣。"在这里,朱熹就是明确以义理、利欲并举而讨论问题的。在评论《孟子·梁惠王》时,朱熹指出:"此章言仁义根于人心之固有,天理之公也;利心生于物我之相形,人欲之私也。循天理则不求利而自无不利,徇人欲则求利未得而害己随之。所谓毫厘之差，千里之谬。此孟子之书所以造端托始之深意，学者所宜精察而明辨也。”这里同样是把仁义与天理、人欲与私利相提并论的。因为此，我们把"理欲之辨"合并在"义利之辨"中加以叙述。

一、传统儒家关于"理欲"关系的基本主张

一谈到宋明理学的"理欲之辨"，流传最广的话就是"存天理，灭人欲"以及清儒戴震批评宋明理学家的"以理杀人"。与上文所说的儒家"义利之辨"大概是近代以来受到社会各界误解最多亦最为集中的问题之一相联系，"存天理，灭人欲"也大概是儒家思想在近代以来受到误解最多的观念之一。为了更为清楚地说明宋明理学家的"理欲之辨"，我们首先梳理传统儒家关于理欲关系的基本主张以及其他思想流派对于理欲关系的不同主张。

"理"、"欲"二字早在《诗经》与《尚书》等先秦典籍中即已见到。如《诗·小雅·信南山》有"我疆我理，南东其亩"之语，《尚书·大禹谟》有"罔违道以干百姓之誉，罔咈百姓以从己之欲"之语。按照《说文》的解释，"理，治玉也"。顺着内部的纹路切割玉石就名之为"理"。做名词时即指事物的条纹。后引申为事物的关系乃至理则或规律等。"欲"为形声字。从欠，谷声。"欠"表示有所不足，故产生欲望。《说文》直接以"贪欲"解"欲"字。多指人的自然欲望。人的欲望表现为多种形式。古语云，人有七情六欲，七情是指喜、怒、哀、惧、爱、恶、欲七种情感，六欲则是指生、死、耳、目、口、鼻之欲。

从上面的梳理中不难看出，对于"欲"或曰人的自然欲望，古人早就心怀警惕。这从《说文》直接以"贪欲"解"欲"中即可窥出端倪。不过，在孔孟荀以及董仲舒等第一期儒学的代表人物那里，虽然也一定程度上表现出了"克"欲、寡欲的

意向，但似乎并未直接将"欲"等同于贪欲或曰不合理的欲望。

如孔子所谓"克己复礼为仁"，可以视为包含了克制不合理欲望的意思。与此同时，他还有"随心所欲，不逾矩"的说法。正如人们已注意到的，孔子的这一说法可以说事实上已经涉及到了理与欲的关系。因为这里所谓"矩"实际所指就是规矩或理则，也就是理。但孔子却并没有直接运用欲与理的观念来表述和讨论问题，在其中更表达了要使"欲"与"矩"具有内在一致性的追求。

孟子提出了"寡欲"说：修养内心的方法，没有比寡欲即减少欲望更好的了。一个人为人处世如果欲望很少，那么内心即使有迷失掉的东西，也是很少的；一个人为人处世如果欲望很多，那么内心即使有保存下来的善端，也是很少的。既然强调"寡欲"，显然是认为"欲"中包含了不合理的内容。但孟子同时又强调，"可欲之谓善"，认为值得人们欲求或喜爱的就是善的，并没有要将"欲"完全归结为不合理的意思。

在讨论"礼是如何产生的"这一问题时，荀子虽然从"性恶论"的立场将"欲"视为群体生活中"争"与"乱"的根源，但同时又提出了要"制礼义"以"养人之欲"的主张。他指出：人生下来就有欲望，如果不能满足，就不能没有欲求，如果索求无度而没有边界，就会发生争斗。有争斗就会导致混乱，混乱就会导致穷困。古代的圣王厌恶混乱，所以制定礼仪以确定名分，以节制人们的欲望，满足人们合理合度的要求，使人们的欲望不会达到物资满足不了的程度，同时使物资不会因为满足人们的欲望而消耗殆尽，而是使物资和欲望相互制约，保持长久的协调发展，这就是礼的起源。认为正是为了节制因为生而有之的自然欲望的纷争所带来的祸乱和困境，古先圣王才制定礼义以确定人们的名分，进而调养人们的欲望、满足人们的要求，以使人们的欲望和客观的物资条件相协调而得到长养。这就是礼的起源。

董仲舒除了"正其谊不谋其利，明其道不计其功"这一句名言外，下面一段话也相当有名："天之生人也，使人生义与利，利以养其体，义以养其心。心不得义不能乐，体不得利不能安。"这里，董仲舒虽然是在讲"义利"，但由于他是关联于"心"与"身"来讲的，因而很容易让人联系到"理欲"，也确实有人由此认为董仲舒是对"理"与"欲"均做了同样的肯定。但实际上董仲舒接下来还有几句话：义是养心的，利是养体的。体莫贵于心，所以养莫重于义。义对人的生养要比利重要得多。这就清楚地表明，在义利或理欲之间，董仲舒更为注重的还是义和理。

从现存的文献看，最早直接以天理、人欲对言的，是《礼记》。由于《礼记》虽然部分保存了战国以来的礼仪制度与思想观念，但毕竟成书于西汉，且为辑录、编纂已有的礼仪著作而成，因而其相关主张并不完全具有理论逻辑的内在统一性。如在《礼记·礼运》篇中，有"饮食男女，人之大欲存焉"的话，很容易让人想起《孟子》中告子所谓"食色性也"的话，这可以看做是较为明显地肯定了"食色"作为人之基本欲望的合理性。但在《礼记·乐记》篇中，作者则鲜明地展示了"理"与"欲"之间可能的巨大张力：人生来本是宁静的，这是上天赋予的本性；与外物接触而有动静，人的欲望由此而产生。外界作用于人而使人具备了知觉的能力，进而就形成好恶的欲望。如果自己的内心对好恶的欲望不能节制，加之外物的不断引诱，不能反躬自省，唤醒自己的道德意识，天理就灭绝了。外物的引诱无穷而又对好恶的欲望没有节制，那就会在接触到外物后丢弃自己的本性而为物所同化。为物所同化，就意味着天理灭绝而人欲横流。这里表现出的，是天理与人欲在"交战"中此消彼长的的图景,其中显然更多地包含了认为理与欲是相互对立的意向。

二、杨朱的"纵欲论"与佛教"灭绝贪欲论"

在中国古代关于"理欲"关系的诸种看法中,在儒家思想之外,有两种极端化的主张,可以分别名之为"纵欲论"与"灭绝贪论"。前者的典型代表是"杨朱",后者的典型代表则要归结为从印度传来的佛教。

杨朱本为战国时期思想家,但因其著作已经遗失,故其思想仅散见于《庄子》、《孟子》、《韩非子》、《吕氏春秋》等典籍中。孟子所谓"杨子取为我,拔一毛而利天下不为也"的说法,成为日后人们所熟知的杨朱的基本人生态度。关于"杨朱"的纵欲思想,源自魏晋时期玄学家张湛所注《列子·杨朱》。尽管此书的真伪一直有着见仁见智的不同意见,但其中的观点的确可以作为中国古代"纵欲论"的代表。在杨朱看来,人生不仅是短暂的,而且是为苦痛劳碌所充塞的。一百岁,是寿命的最高定限。能活百年的,一千人当中挑不出一个。假设有一个人能活到百岁,那么他处在幼年和衰老的时间,就几乎占据了一生的一半。夜晚睡眠所消耗、白天觉醒所遗误的时间,也几乎占据了剩余的一半。至于疾病哀苦,亡失忧惧,几乎又占据了一半剩下的时间。算算仅剩的十几年,能够舒适自得、无牵无挂的日子,怕连一天也没有啊。杨朱由此得出的结论是:大凡生命是难以得到的。而死亡是很快到来的。用难以得到的生命,来等待很快到来的死亡,还有什么可牵挂于心的呢? 因此,只有及时行乐,才最有利于养生。其中的关键则是放纵欲望而不要阻碍、遏制欲望。具体而言,就是放任耳、目、鼻、口、体、意的欲望,使之得以满足。否则,就是阻碍和扼杀人的天性,这些阻塞就是残害身心的根本原因。那么人生又有何乐趣呢？杨朱的回答是"为美厚尔，为声色尔"。因此，"丰屋美服，厚味姣色，有此四者，何求于外"？立足于这样的立场，杨朱对儒家道德提出了质疑和批判。在他看来，儒家所提倡的道德名教顾惜一时的毁誉，使心神焦虑肉体受苦，以追求死后几百年中留下的名声，难道名声足以滋润干枯的死人骨吗？这样活着又有什么快乐呢？其结果是白白丢失了有生之年的最大快乐，不能放纵自己的身心哪怕一时一刻。同戴上刑具关进牢狱的囚犯没有什么不同。事实上，万物归根结底是齐生齐死，齐贤齐愚，齐贵齐贱的。十年亦死，百年亦死；仁圣亦死，凶愚亦死。活着的时候有尧舜、桀纣的不同，死后却都是一堆腐骨。面对一样的腐骨，谁知道有所谓尧舜、桀纣的不同？因而，合理的态度应当是"且趣当生，奚遑死后"？即姑且及时行乐追求眼前的快乐，而不要去考虑死后的事情。

与杨朱主张"纵欲"形成鲜明对比的是佛教。如所周知，源起于印度的佛教在传入中国后，自公元前后以至隋唐，在中国社会产生了长期而广泛的影响。如何面对"欲望"的问题，是佛教中的一个重要问题。佛教有所谓"五欲人生"的说法。与人的生物本能相联系的"食"、"色"，加上作为人之最大的社会性欲望的"名"欲与"利"欲，以及耗去人类三分之一生命的"睡眠欲"，即是佛教认识到的世俗人生的五种基本欲望：财、色、名、食、睡。一般人的生活确实是被这五种欲望所左右的。"五欲"还被解释为色、声、香、味、触五欲。这是从人类身心的五个感受器官相联系的感受方面（眼、耳、鼻、舌、身）来对人的欲望进行分析、归类。人之五种感受器官分别对应色、声、香、味、触五境而生起五种情欲。由于这一分类与人的基本的感觉器官相关联，色、声、香、味、触五欲在更周延、更广泛地概括人的种种欲望方面比财、色、名、食、睡五欲具有更强的解释力。根据西妙等佛教人士的研究,在佛学传统中,佛法对欲望有"欲河"、"欲缚"、"欲魔"等称呼,又有"骨锁"、"肉脔"、"火炬"、"火坑"、"毒蛇"等比喻。人类的生存世界名为"欲界",人类的生命存在乃是"欲有"。人类之所以生生流转,不得解脱,实因贪欲作用的缘故。由于传统上注重个人解脱、离尘出世而忽视了佛教的人间性,从而削弱了示教利喜、影响社会、度化众生的力量,因而,当代佛教注重发展"人间佛教",亦在某种程度上承认人类谋求世俗之乐的欲望即"世欲"的合理性。但归根结底,这只是佛法在人道上弘扬的方便。它真正的旨趣仍在引导众生趣向觉悟、解脱。正如《维摩诘经》所说:"先以欲钩牵,后令入佛智。"弃"世欲"而起"法欲",断惑证真,了生脱死,才是佛法的根本目的。"先以欲钩牵"是权,"后令入佛智"是实,两者是"方便"与"究竟"的关系。在佛智看来,人类五欲之乐并不是真正的快乐,而只是暂时的、相对的。它争取时千辛万苦,享有时短暂易逝,失却时则痛苦万分,即使是短暂而相对的乐也总是与怨憎会、爱别离、求不得等痛苦相伴随的,而且还必然走向老、病、死等巨大痛苦。不仅如此,人类因为沉迷于无常的五欲之乐而不得从人生社会的种种烦恼和生老病死的巨大苦痛中解脱出来,五欲之乐的追求实际上是人生痛苦烦恼丛生的根源。因此,世俗之乐实质并非"乐"而是"苦"。只有解脱烦恼、证入涅槃才是真正的快乐。就"世欲"而非"法欲"而言,这也就事实上意味着要弃绝一切"贪欲"。否则,就是与涅槃成佛的目标南辕北辙的。

三、宋明理学的"理欲之辨"

在一定的意义上,"纵欲论"与"灭绝贪欲论"均对儒家思想形成了挑战。杨朱不仅主张纵欲,而且将儒家所素重的道德视为桎梏人生"快乐"的枷锁,这就指向了道德虚无主义,实际上是在质疑儒家成德之学存在的合法性。另一方面,尽管佛教对"欲望"的态度亦比较复杂,但由于其基本的取向是"出世"即出离世俗世界,因而就世俗的欲望而言,佛教在一定的意义上可以说不仅是主张寡欲的,而且堪称是主张"灭欲"的。这事实上也就意味着从另外一个方面对汲汲于入世而以人伦道德为根基的儒家思想提出了挑战。宋明理学家正是面对上述来自两方面的挑战,在继承先贤相关思想的基础上,立足于儒家的基本价值取向,对理欲关系问题做了更为明确的阐释。宋明理学的"理欲之辨"具有以下三方面的主要特点。

第一,宋明理学家对理欲关系问题的重要性表现出了高度的理论自觉。正如本章开头所指出的,二程、朱熹、陆九渊等宋明理学的主要代表人物均不约而同地肯定了"义利之辨"的首要性意义。而"理欲之辨"不仅是"义利之辨"的重要体现,而且又与人的理性要求和感性需要相联系,因而与具体人生的关系更为鲜活亦更为直接。与此相关联,宋明理学家对于理欲关系问题的重要性表现出了高度的理论自觉,从周敦颐开始,几乎每一个重要的宋明理学家都不仅无一例外地讨论到了理欲关系问题,而且旗帜鲜明地表明了自己的立场。之所以如此,一方面是因为这个问题在儒家看来的确是事关"生命的抉择"的基本问题和重大问题,另一方面也是因为现实存在着以杨朱思想为代表的"纵欲论"和佛教出世主义的"灭绝贪欲论"的挑战。儒学的发展与不同思想主张之间的激荡,均要求宋明理学家以明确的理论自觉对理欲关系问题做出回答。

第二,宋明理学家在理欲关系问题上总体上持守了儒家的基本理论立场。这又包括了以下两个方面的内容。

其一,与杨朱的"纵欲论"和佛教的"灭绝贪欲论"相比,宋明理学家在理欲关系问题上依然保持了儒家的中道立场。一方面,宋明理学家均体现了儒家传统"德性优先"的基本立场,鲜明地强调了通过修身立德而成己成人的基本价值取向,充分突显了道德价值对人之所以为人所具有的不可或缺的重要意义,以儒者的生命形象宣示了一种全然不同于"纵欲论"者享乐主义的生命形态,从而斥破了"纵欲论"者的道德虚无主义。另一方面,肯定家庭伦常、人伦道德的合法性是宋明理学家展开"理欲之辨"的当然前提,尽管对理欲关系问题不同的理学家有着不尽相同的具体主张,但他们都没有也不可能主张在弃绝与家庭伦常、人伦道德相关联的"欲望"的前提下去追求类似于佛教涅槃成佛意义的"天理"。在这个意义上,如果我们把或者主张纵欲或者主张弃绝关联于俗世的"欲望"看做各偏一隅的"边见",宋明理学家在理欲关系问题上则可以说在比较之中依然保持了儒家的中道立场。

其二,宋明理学家对理欲关系的阐释虽然见仁见智,但作为一个整体而言,宋明理学的主要代表人物在基本的价值取向上依然与儒家的主流传统保持了相当程度的一致,这就是更为注重道义的价值。在宋明理学家中,既有人主张"无欲"(如周敦颐),也有人更为注重"欲"的重要意义(如戴震、王夫之等);既有人更为突出了"理"与"欲"之间的巨大张力(如二程、朱熹、王阳明等),也有人更为强调了"理"与"欲"的混融性(如陆九渊、戴震、王夫之等)。但就基本的价值取向而言,周敦颐、张载、程颢、程颐、朱熹、陆九渊、王阳明、王夫之等宋明理学的主要代表人物又依然与儒家的主流传统保持了相当程度的一致,这就是在"理"与"欲"之间归根结底更为注重道义的价值而非突显欲望的价值。即使是那些更为着重于讨论"欲"之作用的思想家如王夫之,其论说的落脚点也不是在"欲"本身而依然是要回归到"理"。王夫之指出:在人欲之内践行天理,而欲皆从理,然后就达到了仁德。在这里,王夫之的确不同于二程与朱熹主要是突显了天理与人欲之间的张力与冲突,而是强调要透过人欲而使天理大行,确实体现出了肯定人欲之积极意义的价值指向。但无论如何,对人欲之积极意义的肯定,归根结底又是要使"欲皆从理"而彰显"仁德"。进而言之,在这方面,甚至对"存天理,灭人欲"提出过严厉批评的清儒戴震也不例外。根据陈来先生的研究,即使道德评价的原则本身是合理的,如果在实践上把"理"与合理的欲望对立起来,特别是统治者冒充为"理"的化身,片面强调被统治者的义务而抹杀其权利,其后果就会表现为普遍的道德压抑。事实上,戴震的控诉正是指向统治者的,在他看来,"今之治人者"把理与欲完全对立起来,利用长者尊者的地位,压制下者卑者的正当要求。他还明确指出,问题不在于是否讲"理",而在于长者尊者以自己的"意见"为理。戴震抗议的本质在反对传统准则体系中维护等级制度的一面,而不是整个反对宋明以来的道德体系,所以在他的文集中也有为节妇烈女所作的传铭,表彰巷曲妇女"处颠覆,甘冻饿,悦不获终,直身死成仁而已"的节操,在这一点上与程颐的原则在精神上并无二致。这鲜明地表明,戴震并没有整个地反对宋明理学家的价值系统,而是特别批判统治者片面地借用道德准则体系中有利于自己的一面、抹杀准则的相互制约性而造成对被统治者的压迫。

第三,尽管如此,与此前的儒家传统相比,宋明理学家在理欲关系问题上又可以说是表现出了某种程度的新特点。这个新特点就在于:尽管总体上突出"理"对"欲"的优先性或优位性是儒家在这一问题上一以贯之的基本特点,但宋明理学家的"理欲之辨"可以说自觉而鲜明地突显了"理"与"欲"

之间存在着的巨大张力,而这却并非前此的儒者在这一问题上的兴奋点之所在。宋明理学的"理欲之辨"中最为人们所熟知亦最为后人所诟病的"存天理,灭人欲","饿死事小,失节事大",就是这一特点的直观表达。同样的意思,我们在此前的儒家思想中实际上也能找到,如孔子就曾经有过"志士仁人,无求生以害仁,有杀身以成仁"的说法,孟子也有"舍生取义"的说法。尽管就强调维护道德的尊严而言两者具有内在的一致性,但它们之间仍有某种并非不重要的不同之处:在孔子这里,"杀身"与"成仁"、"求生"与"害仁"并不是在任何条件下都是对立的,只有在极端的条件下才构成"不可得兼"的选择。而天理与人欲则不仅直接构成了一个具有普遍性的、非此即彼的概念对应性的闭合体,而且宋明理学家还有意识地突出强调了这一点。如朱熹就多次指出,"天理人欲不容并立","人只有天理人欲两途,不是天理,便是人欲,即无不属天理,又不属人欲底一节";因此,"人之一心,天理存则人欲亡,人欲胜则天理灭。未有天理人欲夹杂者。学者须要于此体认省察之"。所谓"饿死事小,失节事大"的说法更是把这种选择与人们的"食色"相关的普通生活直接关联在了一起。这也就意味着,在某种程度上,宋明理学家为了警醒人们在道德上的一念之自觉,事实上是把在此前儒者那里只是在极端情况下才出现的那种非此即彼的"生命的抉择"普遍化、绝对化了,并且扩大到了可以包括一切人的普通生活的范围。尽管其主观愿望是为了严"理欲之辨"以倡导成圣成贤,客观上也确实对于营造更为注重儒士之气节、更有利于儒家道德复兴的社会氛围发挥了积极的作用,但同时也就不仅失之严苛,而且难免走向异化,成为"长者尊者"压制"下者卑者"的工具和手段。

最后,我们还要就通常人们对宋明理学"理欲之辨"的两点误解作出两方面的说明。其一,所谓"存天理,灭人欲"中的"人欲",不是"人的所有的欲望",而是人的欲望中不合理的那部分,或者叫做"贪欲"。关于这一点,朱熹有一个形象的说法说得很透:"饮食者,天理也;要求美味人欲也。"其二,"存天理,灭人欲"不仅不只是对老百姓的要求,而且可以说首先就是对统治者的要求。这从朱熹上宋孝宗的奏章中即可见出端倪。在《延和奏劄二》中,朱熹指出:臣听说人主所以统制天下之事者,本乎一心。而心的主导,又有天理人欲之异。二者一分,则公私邪正判然而别。天理是此心的本然状态,遵循天理则此心公平而且端正;人欲是此心的病害状态,随顺人欲则此心就会充满私欲与邪僻。这显然是期望以"存天理,灭人欲"的要求来"正君心"。既然如此,以"存天理,灭人欲"的要求来"正百官之心"当然也就不在话下了。"存天理,灭人欲"或许并没有真正起到"正君心"与"正百官之心"的作用,但把它说成就是为了欺骗、压榨百姓,是不符合历史事实的。

原典选读

子曰:"君子喻于义,小人喻于利。"

孔子曰:"君子有九思:视思明,听思聪,色思温,貌思恭,言思忠,事思敬,疑思问,忿思难,见得思义。"

子路问成人。子曰:"若臧武仲之知,公绰之不欲,卞庄子之勇,冉求之艺,文之以礼乐,亦可以为成人矣。"曰:"今之成人者何必然?见利思义,见危授命,久要不忘平生之言,亦可以为成人矣。"

子曰:"放于利而行,多怨。"

子罕言利,与命与仁。

子曰:"富与贵,是人之所欲也。不以其道得之,不处也。贫与贱,是人之所恶也。不以其道得之,不去也。"

子曰:"富而可求也,虽执鞭之士,吾亦为之。如不可求,从吾所好。"

子问公叔文子于公明贾曰:"信乎,夫子不言,不笑,不取乎?"公明贾对曰:"以告者过也,夫子时然后言,人不厌其言;乐然后笑,人不厌其笑;义然后取,人不厌其取。"子曰:"其然?岂其然乎?"

子曰："志士仁人，无求生以害仁，有杀身以成仁。"

——节选自《论语》

孟子见梁惠王。王曰："叟不远千里而来，亦将有以利吾国乎？"

孟子对曰："王何必曰利？亦有仁义而已矣。王曰'何以利吾国'，大夫曰'何以利吾家'，士庶人曰'何以利吾身'，上下交征利而国危矣。万乘之国弑其君者，必千乘之家；千乘之国弑其君者，必百乘之家。万取千焉，千取百焉，不为不多矣。苟为后义而先利，不夺不餍。未有仁而遗其亲者也，未有义而后其君者也。王亦曰仁义而已矣，何必曰利？"

……

梁惠王曰："寡人之于国也，尽心焉耳矣。河内凶，则移其民于河东，移其粟于河内。河东凶亦然。察邻国之政，无如寡人之用心者。邻国之民不加少，寡人之民不加多，何也？"

孟子对曰："王好战，请以战喻。填①然鼓之，兵刃既接，弃甲曳兵而走。或百步而后止，或五十步而后止。以五十步笑百步，则何如？"

曰："不可，直不百步耳，是亦走也。"

曰："王如知此，则无望民之多于邻国也。不违农时，谷不可胜食也；数罟②不入洿③池，鱼鳖不可胜食也；斧斤④以时入山林，材木不可胜用也。谷与鱼鳖不可胜食，材木不可胜

① 填：拟声词，模拟鼓声。
② 数罟：密网。
③ 洿：深。
④ 斤：锛子。

116

用,是使民养生丧死无憾也。养生丧死无憾,王道之始也。

五亩之宅,树之以桑,五十者可以衣帛矣;鸡豚狗彘之畜,无失其时,七十者可以食肉矣;百亩之田,勿夺其时,数口之家可以无饥矣;谨庠序①之教,申之以孝悌之义,颁白者不负戴于道路矣。七十者衣帛食肉,黎民不饥不寒,然而不王者,未之有也。

狗彘食人食而不知检,涂有饿莩②而不知发;人死,则曰:'非我也,岁也。'是何异于刺人而杀之,曰:'非我也,兵也。'王无罪岁,斯天下之民至焉。"

……

梁惠王曰:"晋国,天下莫强焉,叟之所知也。及寡人之身,东败于齐,长子死焉;西丧地于秦七百里;南辱于楚。寡人耻之,愿比死者一洒之③,如之何则可?"

孟子对曰:"地方百里而可以王。王如施仁政于民,省刑罚,薄税敛,深耕易耨。壮者以暇日修其孝悌忠信,入以事其父兄,出以事其长上,可使制梃以挞秦楚之坚甲利兵矣。彼夺其民时,使不得耕耨以养其父母,父母冻饿,兄弟妻子离散。彼陷溺其民,王往而征之,夫谁与王敌?故曰:'仁者无敌。'王请勿疑!"

……

齐宣王问曰:"齐桓、晋文之事可得闻乎?"

孟子对曰:"仲尼之徒无道桓、文之事者,是以后世无传焉。臣未之闻也。无以,则王乎?"

曰:"德何如,则可以王矣?"曰:"保民而王,莫之能御也。"曰:"若寡人者,可以保民乎哉?"曰:"可。"曰:"何由知吾

---

① 庠序:代指学校。商代学校名序,周代学校为庠。
② 饿莩:饿死的人。
③ 比:替,为;一:全,都;洒:洗刷。亦即期盼为所有死难者报仇雪恨。

可也?"曰:"臣闻之胡龁曰,王坐于堂上,有牵牛而过堂下者,王见之,曰:'牛何之?'对曰:'将以衅钟。'王曰:'舍之!吾不忍其觳觫,若无罪而就死地。'对曰:'然则废衅钟①与?'曰:'何可废也?以羊易之!'不识有诸?"曰:"有之。"曰:"是心足以王矣。百姓皆以王为爱也,臣固知王之不忍也。"王曰:"然。诚有百姓者。齐国虽褊小,吾何爱一牛?即不忍其觳觫②,若无罪而就死地,故以羊易之也。"曰:"王无异于百姓之以王为爱也。以小易大,彼恶知之?王若隐其无罪而就死地,则牛羊何择焉?"王笑曰:"是诚何心哉?我非爱其财。而易之以羊也,宜乎百姓之谓我爱也。"曰:"无伤也,是乃仁术也,见牛未见羊也。君子之于禽兽也,见其生,不忍见其死;闻其声,不忍食其肉。是以君子远庖厨也。"

王说曰:"诗云:'他人有心,予忖度之。'夫子之谓也。夫我乃行之,反而求之,不得吾心。夫子言之,于我心有戚戚焉。此心之所以合于王者,何也?"曰:"有复于王者曰:'吾力足以举百钧',而不足以举一羽;'明足以察秋毫之末',而不见舆薪,则王许之乎?"曰:"否。""今恩足以及禽兽,而功不至于百姓者,独何与?然则一羽之不举,为不用力焉;舆薪之不见,为不用明焉,百姓之不见保,为不用恩焉。故王之不王,不为也,非不能也。"曰:"不为者与不能者之形何以异?"曰:"挟太山以超北海,语人曰'我不能',是诚不能也。为长者折枝,语人曰'我不能',是不为也,非不能也。故王之不王,非挟太山以超北海之类也;王之不王,是折枝之类也。老吾老,以及人之老;幼吾幼,以及人之幼。天下可运于掌。诗云:'刑于寡妻,至于兄弟,以御于家邦。'言举斯心加诸彼而已。

---

① 衅钟:新钟铸成,杀牲取血涂抹钟的孔隙,以示祭祀。
② 觳(hú)觫(sù):惊恐战栗之貌。

故推恩足以保四海，不推恩无以保妻子。古之人所以大过人者无他焉，善推其所为而已矣。今恩足以及禽兽，而功不至于百姓者，独何与？权，然后知轻重；度，然后知长短。物皆然，心为甚。王请度之！抑王兴甲兵，危士臣，构怨于诸侯，然后快于心与？”王曰：“否。吾何快于是？将以求吾所大欲也。”

曰：“王之所大欲可得闻与？”王笑而不言。曰：“为肥甘不足于口与？轻暖不足于体与？抑为采色不足视于目与？声音不足听于耳与？便嬖①不足使令于前与？王之诸臣皆足以供之，而王岂为是哉？”曰：“否。吾不为是也。”曰：“然则王之所大欲可知已。欲辟土地，朝秦楚，莅中国而抚四夷也。以若所为求若所欲，犹缘木而求鱼也。”曰：“若是其甚与？”曰：“殆有甚焉。缘木求鱼，虽不得鱼，无后灾。以若所为，求若所欲，尽心力而为之，后必有灾。”曰：“可得闻与？”曰：“邹人与楚人战，则王以为孰胜？”曰：“楚人胜。”曰：“然则小固不可以敌大，寡固不可以敌众，弱固不可以敌强。海内之地方千里者九，齐集有其一。以一服八，何以异于邹敌楚哉？盖亦反其本矣。今王发政施仁，使天下仕者皆欲立于王之朝，耕者皆欲耕于王之野，商贾皆欲藏于王之市，行旅皆欲出于王之涂，天下之欲疾其君者皆欲赴愬②于王。其若是，孰能御之？”

王曰：“吾惛，不能进于是矣。愿夫子辅吾志，明以教我。我虽不敏，请尝试之。”曰：“无恒产而有恒心者，惟士为能。若民，则无恒产，因无恒心。苟无恒心，放辟，邪侈，无不为已。及陷于罪，然后从而刑之，是罔民也。焉有仁人在位，罔

---

① 便(pián)嬖(bì)：君王周围受宠幸者。
② 愬(sù)：通“诉”，控告。

119

民而可为也？是故明君制民之产，必使仰足以事父母，俯足以畜妻子，乐岁终身饱，凶年免于死亡。然后驱而之善，故民之从之也轻。今也制民之产，仰不足以事父母，俯不足以畜妻子，乐岁终身苦，凶年不免于死亡。此惟救死而恐不赡，奚暇治礼义哉？王欲行之，则盍反其本矣。五亩之宅，树之以桑，五十者可以衣帛矣；鸡豚狗彘之畜，无失其时，七十者可以食肉矣；百亩之田，勿夺其时，八口之家可以无饥矣；谨庠序之教，申之以孝悌之义，颁白者不负戴于道路矣。老者衣帛食肉，黎民不饥不寒，然而不王者，未之有也。"

......

孟子曰："鱼，我所欲也；熊掌，亦我所欲也，二者不可得兼，舍鱼而取熊掌者也。生，亦我所欲也；义，亦我所欲也，二者不可得兼，舍生而取义者也。生亦我所欲，所欲有甚于生者，故不为苟得也；死亦我所恶，所恶有甚于死者，故患有所不辟也。如使人之所欲莫甚于生，则凡可以得生者，何不用也？使人之所恶莫甚于死者，则凡可以辟患者，何不为也？由是则生而有不用也，由是则可以辟患而有不为也。是故所欲有甚于生者，所恶有甚于死者，非独贤者有是心也，人皆有之，贤者能勿丧耳。一箪食，一豆羹，得之则生，弗得则死。呼尔而与之，行道之人弗受；蹴①尔而与之，乞人不屑也。万钟则不辨礼义而受之。万钟于我何加焉？为宫室之美、妻妾之奉、所识穷乏者得我与？乡为身死而不受，今为宫室之美为之；乡为身死而不受，今为妻妾之奉为之；乡为身死而不受，今为所识穷乏者得我而为之，是亦不可以已乎？此之谓失其本心。"

......

---

① 蹴(cù)：踩踏之意。

孟子曰："尧舜，性之也；汤武，身之也；五霸，假之①也。久假而不归，恶知其非有也。"

……

孟子曰："天下有道，以道殉身；天下无道，以身殉道。未闻以道殉乎人者也。"

……

浩生不害问曰："乐正子，何人也?"孟子曰："善人也，信人也。""何谓善? 何谓信?"曰："可欲之谓善，有诸己之谓信。充实之谓美，充实而有光辉之谓大，大而化之之谓圣，圣而不可知之之谓神。乐正子，二之中，四之下也。"

……

孟子曰："养心莫善于寡欲。其为人也寡欲，虽有不存焉者，寡矣；其为人也多欲，虽有存焉者，寡矣。"

——节选自《孟子》

仲尼之门，五尺之竖子，言羞称乎五伯。是何也? 曰：然! 彼诚可羞称也。齐桓五伯之盛者也，前事则杀兄而争国；内行则姑姊妹之不嫁者七人，闺门之内，般乐奢汰，以齐之分奉之而不足；外事则诈邾袭莒，并国三十五。——其事行也若是其险污淫汰也。彼固曷足称乎大君子之门哉!

……

"义"与"利"者，人之所两有也。虽尧舜不能去民之欲利；然而能使其欲利不克其好义也。虽桀纣不能去民之好义；然而能使其好义不胜其欲利也。故义胜利者为治世，利克义者为乱世。

……

---

① 性之：出于本性；身之：身体力行；假之：这里指假借仁义之名。

121

人生而有欲；欲而不得，则不能无求；求而无度量分界，则不能不争；争则乱，乱则穷。先王恶其乱也，故制礼义以分之，以养人之欲，给人之求。使欲必不穷乎物，物必不屈于欲，两者相持而长，是礼之所起也。

——节选自《荀子》

人生而静，天之性也；感于物而动，性之欲也。物至知知，然后好恶形焉。好恶无节于内，知诱于外，不能反躬，天理灭矣。夫物之感人无穷而人之好恶无节，则是物至而人化物也。人化物也者，灭天理而穷人欲者也。

——节选自《礼记》

天之生人也，使人生义与利，利以养其体，义以养其心。心不得义不能乐，体不得利不能安。义者，心之养也；利者，体之养也。体莫贵于心，故养莫重于义。义之养生人大于利。

——节选自董仲舒《春秋繁露》

饮食者，天理也；要求美味人欲也。
……
人之一心，天理存则人欲亡，人欲胜则天理灭。未有天理人欲夹杂者。学者须要于此体认省察之。
……
在浙中见诸葛诚之千能云："'仁人正其义不谋其利，明其道不计其功'，仲舒说得不是。只怕不是义，是义必有利；只怕不是道，是道必有功。"先生谓："才如此，人必求功利而为之，非所以为训也。固是得道义则功利自至，然而有得道义而功利不至者，人将于功利之徇而不顾道义矣。仲舒所立甚高，后世之所以不如古人者，以道义功利关不透耳。"

——节选自《朱子语类》

此章言仁义根于人心之固有，天理之公也；利心生于物我之相形，人欲之私也。循天理则不求利而自无不利，徇人欲则求利未得而害已随之。所谓毫厘之差，千里之谬。此孟子之书所以造端托始之深意，学者所宜精察而明辨也。

——节选自朱熹《四书章句集注·孟子集注》

修齐治平

如果说"义利之辨"和"理欲之辨"都是紧紧围绕儒者个人展开的,儒家的"修齐治平"之道则建立了一个以个人的修身为起点而关联于齐家、治国、平天下的"内圣外王"的义理纲维。在其中,达成内圣与外王连接的关键因素依然是"德"。个人德性的修明是"内圣外王之道"的起点,为政以德或曰德治则构成了内圣之所以能够展现为外王的根本。

修身为本

许多读者大概都知道,根据现有的资料,"内圣外王之道"一语最早并不出自于儒家典籍,而是出自《庄子·天下》。但这并不妨碍"内圣外王之道"后来成为描述儒家思想的专用语。事实上,早在孔子孟子那里,儒家思想就已经体现出了"内圣外王"的思想特质。当子路问"君子"时,孔子先后回答:"修己以敬"、"修己以安人"、"修己以安百姓"。在这里,"修己以敬"可以看作是"内圣之事","修己以安人"、"修己以安百姓"则可以看作是"外王"之事。孟子所谓"用怜悯体恤别人的心情,施行怜悯体恤百姓的政治,治理天下就可以像在手掌心里面运转东西一样容易",显然也体现了"内圣外王"的神髓。

一、三纲八目

在根本的精神上，"修齐治平之道"与"内圣外王之道"显然是相贯通的，"修齐治平"或曰"修身齐家治国平天下"可以看作是对"内圣外王"的具体说明。"修齐治平"语出早期儒家的重要经典《大学》。《大学》一开篇就说：大学的宗旨在于彰显光明的德性（明明德），在于使人弃旧而自新（亲民），在于使人达到至善之境（止于至善）。知其所止，然后有定力；有定力，然后能沉静；沉静，然后心能安宁；心安宁，然后能思虑周详；思虑周详，然后能有所得。事物都有本末、始终的分别，知道其先后轻重，就接近掌握事物发展的规律与道理了。那些希望彰显光明的德性于天下的古先圣贤，必先治理好自己的国家（治国）；要想治理好自己的国家，必先管理好自己的家庭（齐家）；要想管理好自己的家庭，必先修养好自己的品性（修身）；要想修养好自己的品性，必先端正自己的心思（正心）；要想端正自己的心思，必先诚敬自己的意念（诚意）；要想诚敬自己的意念，必先穷究事物的道理和知识（致知）；要穷究事物的道理和知识，就必须亲身实践，研究和认识事物（格物）。研究和认识事物，然后获得事物的道理和知识；获得事物的道理和知识，然后能够意念诚敬；意念诚敬，然后能够心思端正；心思端正，然后能够修养品性；修养品性，然后能够管理好家庭；管理好家庭，然后能够治理好国家；治理好国家，然后能够使得天下太平。从天子到百姓，都必须以修身为根本。丢弃了修身这个根本而希望齐家治国平天下，是不可能的。不分主要次要、轻重缓急却想做好事情，这也是从来没有过的！

《大学》首章提出的明明德、亲民与止于至善就是人们通常所说的《大学》"三纲领"，格物、致知、诚意、正心、修身、齐家、治国、平天下则是人们通常所说的《大学》"八条目"。

二、修身：成己成人的中心环节

所谓"三纲八目"，直接是讲"大学"教育的宗旨、目标与实现目标的条目功夫，实际上则可以视为儒家"成己成人之道"义理纲维的全面展开。所谓"明明德"，就是发扬光大"天所与我"的光明德性。所谓"亲民"，是教人弃旧图新、去恶从善。这里的"亲"为"新"的假借，是革新之意。所谓"止于至善"，就是要达到道德上最完善的境界。《大学》后文中"为人君止于仁，为人臣止于敬，为人子止于孝，为人父止于慈，与国人交止于信"的说法，可以视为对"止于至善"的解释。在"八条目"即实现目标的条目功夫中，又可以具体分为"内省"和"外治"两大方面。前四个条目即"格物、致知、诚意、正心"属于"内省"，旨在通过向内的修心养性而增强自我的德性。后三个条目即"齐家、治国、平天下"属于"外治"，旨在通过德性向外的扩充和拓展，而在家国乃至天下的范围内实现建立在仁心仁德基础之上的外王事功。

在"内省""外治"、成己成人的过程中，"修身"居于中心环节。"内省"与"外治"之所以能够贯通为一，乃在于归根结底它们均是德性与德行的养成与流衍，而正是经过修身而成德的儒家君子成为"三纲八目"的践行主体。就"内省"与"外治"的关系而言，一方面"格物、致知、诚意、正心"汇归于"修身"，另一方面"齐家、治国、平天下"又以"修身"为起点，因而，"修身"成为连接"内省"与"外治"两方面的枢纽。由此，"修身"成为"内省""外治"、成己成人的中心环节。也正是有见于此，《大学》明确要求："自天子以至于庶人，壹是皆以修身为本。"既以"修身为本"，而又包括了"内省"和"外治"两个面相，《大学》的相关主张实际上也可以说是体现了先秦儒家的另一部经典《中庸》所谓"合外内之道"的精神。与此同时，《大学》建立在"修身为本"基础上的"内省"和"外治"兼重，还可以从一个侧面加深我们对于孟子所谓"穷则独善其身，达则兼济天下"的理解：在儒家思想中，"独善其身"与"兼济天下"归根结底不是一个非此即彼的选择，正如《大学》的"三纲八目"所显示的，正是"善其身"构成了"济天下"的前提和基础。

　　究竟该如何"修身"呢？尽管《大学》给出了"格物、致知、诚意、正心"的条目，但却没有给"格物、致知"以具体的解释。而由于由《大学》、《中庸》、《论语》、《孟子》所组成的"四书"是在宋代才代替《诗》、《书》、《礼》、《易》、《春秋》"五经"而成为儒家的主要经典，对"格物、致知、诚意、正心"的讨论主要是在宋明理学中进行的。如果说将"诚意"解释为"使意念诚实"、将"正心"解释为"使心性端正"还可谓各家大体上均能接受的看法，在何谓"格物、致知"的问题上，则在理学与心学之间形成了相当不同的认识。在程朱理学看来，所谓"格物致知"，就是格物穷理，即通过接触外物而见事物之理。而按照王阳明的解释，心学所谓"格物"则只是端正自己的意念，因为意之所在谓之物，"格者正也，正其不正以归于正之谓也"；"致知"则只是致吾心之良知于事事物物。王阳明指出：所谓致知，不是像后儒所说的那样是充扩其知识，而是致吾心之良知于事事物物。程朱与陆王解释"格物、致知"的上述两种不同理路，正体现了儒家思想中两种传统的不同特色。前文已经指出，从孟子与荀子起，儒家思想内部在修养功夫方面就存在着两种不同的义理入路。不同于孟子强调道德的先验性，以"纵贯"和"内省"为特质，荀子则注重道德之后天人为，以"横扩"和"外观"为特征。经过宋明理学的发展，最终形成了注重明心见性、逆觉体证，以尊德性为标的陆王心学,与强调向外认知、格物穷理,注重道问学的程朱理学的分野。上述解释正各自体现了偏重"内省"与偏重"外观"的不同。在这方面,如何才能在内外之间体现出"中道"呢?这是值得我们在修身成德的过程中加以认真思考的问题。

为政以德

在儒家思想中,修齐治平是内在地关联在一起的。在现代社会,不时能听到有人这样质疑儒家的"修齐治平之道":儒家讲"身修而后家齐,家齐而后国治,国治而后天下平",难道修身真的就能齐家、齐家真的就能治国、治国真的就能平天下么？后者的内涵和外延明显要大于前者,从前者推后者怎么会有逻辑的有效性？ 实际上,与其把儒家"修齐治平之道"中的前者视为后者的充分条件,认为具备了前者后者就必然出现,不如把前者看做后者的必要条件,即没有前者就没有后者,但有了前者不必定有后者。在这个意义上,儒家"修齐治平之道"只是说,如果身未修,就不可能齐家;如果家未齐,就不可能治国;如果国未治,就不可能平天下。在这样的理解中,"修身"成为"修齐治平"的起点和关键。这与《大学》"自天子以至于庶人,壹是皆以修身为本"的要求正好保持了内在的一致性。

"修身"之后接下来的一个环节是"齐家"。儒家高度重视"齐家"即理顺家庭内部的关系问题,在处理人际关系的五伦即君臣、父子、兄弟、夫妻与朋友中,就有三伦是关于家庭内部关系的。对于这三伦,儒家明确提出了"父慈子孝,兄友弟恭(悌),夫和妻顺"的伦理规范。在儒家思想中,伦理和政治是密切相关的。当有人问孔子"你为什么不参与政治"时,他的回答是:《尚书》上说,只要孝顺父母,友爱兄弟,把这种风气影响到卿相大臣那里去就好。这也是参与政治了呀,为什么一定要做官才算参与政治呢？ 在孔子看来,个人注重伦理道德的修为并由此而影响到他人与社会,这在某种程度上已经可以看作"为政"了。在这个意义上,齐家的问题在儒家思想中实际上可以看作属于"治国"的范围了。因此,我们在这里讨论儒家社会政治思想时,不另列目专门讨论"齐家"的问题,而是直接进入"治国"问题的讨论。儒家"修齐治平之道"在治国层面的基本主张可以用"为政以德"来概括。所谓"为政以德"就是说要通过自己良好的德性风范的影响来使以礼制为中心的政事得到推行。这也就是要求在上位的人要起好带头作用,在道德修为方面要求老百姓做到的,自己要先做到。它主张主要通过道德教化来治国,可以名之为德治主义,而与西方法治政治有着相当的不同。

一、子帅以正

在《论语·为政》中,孔子明确提出了"为政以德"的主张。他指出:"为政以德,譬如北辰,居其所而众星共之。"在这句话中,孔子明确强调了儒家社会政治思想视野中道德对政治生活的决定性作用。进而言之,道德教化之所以能够对包括政治活动在内的社会生活发挥这样大的影响乃至决定作用,又在很大的程度上仰仗于"为政者"本身在德性与德行上所具有的中心与示范作用。就像其他的星辰之所以围绕着北斗七星是因为它是最亮的星星一样,在现实生活中,为政者要能够居于中心并产生现实辐射作用,必须具备高度的德性与德行。正因为此,孔子从正反两个方面鲜明地强调了居上位者在道德上率先垂范对于推行德政的重要性:"政者,正也。子帅以正,孰敢不正?""其身正,不令而行,其身不正,虽令不从。"在这里,孔子明确地把为政直接视为"正己",认为只要居上位者自己率先垂范,别人谁敢不风从响应呢? 所以只要你行得正,即使没有要求他人照着办,别人也会自发地照着办；反过来，居上位者自己行得不正，即使命令他人按照德性的要求去做，别人也不会听从。

　　基于这样的立场，儒家对君主与大臣等为政者提出了明确的德性要求。在其中，君主也不例外。关于儒家为邦治国究竟是为什么人的问题，曾有过不同的意见。过去长期以来，一种主导性的观点是认为，儒家是统治阶级的代表，其目的是要维护以君主为代表的统治阶级的统治，有的甚至直接将儒家视为封建专制主义的"帮凶"。这种主张显然是不符合历史事实的。在这方面，西汉思想家刘向对孔子所代表的儒家思想的君臣民关系的概括，或许具有某种启发性。在刘向看来，在孔子思想中，"君臣之与百姓，转相为本，如循环无端"。这一观点对孔子所代表的儒家的德治主张可谓真有所见。儒家政治思想的最终理想是建立大同社会，而达到这一理想的基本途径则是君、臣、民的和谐一体。在这个意义上，在儒家政治思想中君、臣、民的确是相与为本的。但是，应当承认，在儒家政治思想中，君主以及大臣在整个为邦治国的过程中堪称是居于主导地位。之所以如此，并不表明儒家是要在整个政治过程中维护君主与大臣的特殊利益，而是由于君主与大臣在施政过程中是更为重要的一极，因而需要更为充分地发挥他们的作用，以使君、臣、民之间能够和谐一体。这一点在孔子那里就已经得到了清楚的体现。尽管孔子的有关思想并没有把着重点放在对君主的强制要求上，但他也明确地提出了君主要像个君主的要求，并要求"君使臣以礼"，即按照礼制的规范要求来对待臣子。《礼记·礼运》也引孔子的话，把"君仁"与"臣忠"一起看作是处理君臣关系的"人义"即人伦纲纪之一。《大学》在明确提出"自天子以至于庶人，壹是皆以修身为本"的同时也突出了君主的示范作用："尧、舜以仁爱统帅天下而民众风从他们，桀、纣以残暴统帅天下也深刻地影响了民风。"孟子也高度重视"为政"中君主的道德示范作用,提出了"格君心之非"的主张:只有君子能纠正国君内心的错误(格君心之非)。国君仁,就没有人不仁;国君义,就没有人不义;国君正,就没有人不正。只要国君品性和品行端正,国家就安定了。孔孟儒学的相关思想,在宋明理学中同样得到了明确体现。朱熹在《巳酉拟上封事》中指出:臣听说天下之事的根本在于一人,而一人之身的主导则在于一心。所以人主之心一端正,则天下之事没有不随之端正的;人主之心一歪邪,则天下之事没有不歪邪的。就像华表端正而影子直正,源头浑浊而水流自然受到污染,这其中有必然之理。所以那些希望彰显光明的德性于天下的古先圣王,莫不以正心为本。

这些思想明显体现了儒家德治主义的一般要求。因为从"为政以德"、"子帅以正,孰敢不正"、"其身正,不令而行,其身不正,虽令不从"的观点来看,既然居于上位者的德性对于推行仁政具有根本性的示范作用,那么,作为居于为政之最高位的君主,显然必须具有与位相应的德。因为君主具有最高的位,所以要求他具有最高的德,这正是《礼记》以"仁"这一最高的德性来要求君主,儒家强调"圣王"理想的根本原因。从这个意义上讲,我们完全可以把孔子所说的"克己复礼为仁,一日克己复礼,天下归仁焉"的话看作是对包括君主在内的所有社会成员的共同要求。正是基于这样的认识,孔子把尧舜禹等传说中的圣王看作是天下君主的榜样。孔子曾经赞叹尧道:尧真是了不得呀!真高大得很呀!只有天最高最大,只有尧能够学习天。他的恩惠真是广博呀!老百姓简直不知道怎样称赞他。他的功绩实在太崇高了,他的礼仪制度也真够美好了!在另外一个地方,他还赞叹道:"巍巍乎,尧禹之有天下也而不与焉!"(不与,一点也不为自己。)这些古先圣王的仁德正表现在他们不仅具有崇高的德性,而且虽贵为天子、富有四海却全心全意地为百姓办事,而不为自己谋私利,从而达到了与臣、民的和谐一体。孔子在这里对古先圣王的赞颂,一方面可以看作是希望当时的君主们能以古先圣王为榜样,另一方面也事实上包含了对当时的君主们之缺乏仁德的委婉批评。

顺此而进,儒家对各级士大夫也明确提出了德性的要求。除了士大夫作为一个一般的儒者或曰君子所应该具备的德性外,与"为政"相关联,儒家主要对士大夫之德提出了以下几方面的要求。

第一,以"安百姓"作为为政的落脚点。

子贡问孔子:假若有一个人能广泛地给人以好处,能帮助众人过好生活,怎么样?可以说是践仁了么?孔子回答说:哪里仅是仁!那一定是圣德了!尧舜或许都没有完全做到呢!显然,孔子这里的回答与前文已经讨论到的"修己以安百姓"的问题是有一致性的。当子路问孔子怎样才能做一个君子时,孔子先回答"修己以敬"。子路又问:这样就够了吗?孔子进一步说:"修己以安人。"(人指上层统治者。)当子路依然问"这样就够了吗"时,孔子最后说:修己以安百姓。修己以安百姓,尧舜或许都没有完全做到呢?我们不难看出,这里"修己以敬"可以说是一个居上位者的立足点。而其落脚点则是"修己以安百姓"。大家知道,孔子对尧舜之圣德大业是十分赞叹的,可是在这里,孔子却说"修己以安百姓"是一件连尧舜也还没有完全办到的事。可见要做到修己以安百姓、博施于民而济众,是一件多么困难的事情!

应当说,能不能坚持不懈地以"修己以安百姓"作为自己为政的落脚点,并实实在在地努力接近这一目标,确乎是衡量一个居上位者是不是真心为民的重要尺度。正是由于大禹见一人落水竟会感到像是自己落水一样,他才会一辈子急急惶惶,住得很坏,却把力量全部用来治理水患,发展沟渠水利,以真正解民于倒悬。所以孔子由衷地赞叹道:禹,我对他没有批评了。在一定意义上,博施于民而济众的要求可以看作一个必须不断追求而没有止境的过程。以世界之大、事务之繁、民生之艰,究竟怎样才能做到博施于众,而使百姓黎民都能沐浴在德政的春风化雨之中呢?这的确堪称是一项任重而道远的人生使命。

在此基础上,孟子进而提出了"民贵君轻"的民本思想。他明确指出:在君主、江山社稷与民众之间,民众最为尊贵,江山社稷次之,君主为轻。这是因为虽然得到诸侯的肯定就可以做大夫,得到天子的赏识就可以做诸侯,但只有得到大众的拥戴才能成为天子。立足于这样的认识,孟子对"贤者"提出了"乐民之乐""忧民之忧""乐以天下,忧以天下"的要求。他把桀纣等历史上的暴君称之为独夫民贼而不认之为"君":败坏仁的人叫贼,败坏义的人叫残;残、贼这样的人叫独夫。只听说杀了独夫纣罢了,没听说臣杀君。这其中也就包含了肯定除暴安良的"汤放桀"、"武王伐纣"之正当性与合理性的意思。孟子的民本思想,是明太祖朱元璋之所以大肆删节孟子并一度废除孟子孔庙配享资格的基本原因。荀子有"天之生民,非为君也;天之立君,以为民也"的话,同样可以看作"以民为本"思想的表达。

第二,为了达到"安百姓"的目标,从政者必须爱民。这也就是孔子所说的要"泛爱众"。具体而言,它又包括以下几方面的内容。

其一,要惠民即"养民也惠"。最基本的是要把民众的富足放在首位,而不能把君主和权臣的富足放在首位。《论语》中叙述的两件事就鲜明地表现了这一点。一件事是鲁国的权臣季氏已富于周公,而孔子的学生冉求作为其家宰却还替季氏搜括,使他增加更多的财富。其结果是惹得孔子大怒,认为冉求"非吾徒也。小子鸣鼓而攻之,可也"。孔子之所以认为冉求不像他的学生,乃在于冉求的做法直接违背了孔子的有关教导。而孔子的另一个学生有若在处理另一件类似的事情时,却采取了与冉求相反的做法。有一次鲁哀公向有若请教这样一个问题:年成不好,国家用度不够,应该怎么办?有若的回答可以说是大大出乎哀公的意料。有若说:为什么不实行十分抽一的税率呢?哀公听了奇怪地反问:十分抽二,我还不够,怎么能十分抽一呢?有若回答说:如果老百姓的用度够,您怎么会不够呢?如果老百姓的用度不够,您怎么又会够呢?有若的做法肯定更能为孔子所赞赏。孔子十分注重让人民得实惠。他赞叹春秋时期的著名政治家子产"有君子之道四",其中之一就是"其养民也惠"。他还把"惠"列为行于天下就足以达到"仁"的五个德目之一(另外四个德目是恭、宽、信、敏),把"惠而不费"看作是从政者的五种美德之一。

孟子进而在此基础上提出了"仁政"的具体主张。这些主张主要包括:"制民之产",即保障百姓拥有"上足以赡养父母,下足以抚养妻儿,好年成能够温饱,坏年成也能免于饿死"的"恒产";通过实行井田制,解决百姓的土地问题;实行合理的税收制度以减轻农民、商人、市民、行旅等各类人的赋税,"民可使富也";通过"推恩"对小孩、老人以及鳏寡独孤(失去妻子的老年人叫做鳏夫,失去丈夫的老年人叫做寡妇,没有儿女的老年人叫做独老,失去父母的儿童叫做孤儿)等"天下之穷民而无告者"即穷苦无靠的人予以特别的关爱;等等。富民、惠民是孟子仁政的基本目标。

其二,要使民以时。孔子把"使民以时"与"敬事而信"、

"节用而爱人"一起看作是"导千乘之国"的重要条件之一。他还把使老百姓"劳而不怨"看作从政者的五种美德之一,要求从政者在调动老百姓时,"择可劳者而劳之"即选择可以劳动的时间、场所与民众让他们劳动,以使他们不产生怨恨情绪。这其中的一个重要的要求就是"使民以时"。孟子也明确提出了"不违农时""无失其时""勿夺其时"等主张。

其三,对人民不仅要"庶之,富之",而且还要"教之",即不仅要使他们人口众多、生活富裕,而且还要用礼乐教化民众。孔子把不教而战斥之为是抛弃人民,而"善人教民七年,亦可以即戎也"。可见,教民以孝悌忠信而使之行止有度,也是"泛爱众"的一个方面。如果说孔子在如何"教之"即教化民众的问题上只是做了观念的提揭,孟子则在此基础上做了具体的展开。他明确指出,在"制民之产"即使民有恒产的基础上,还要"谨庠序之教,申之以孝悌之义"。在另外一个地方,他还指出,仁政应当"开办庠、序、学、校以教育人民。所谓庠,意思是培养。所谓校,意思是教导。所谓序,意思是习射。夏朝时叫校,殷商朝时叫序,周朝时叫庠;这个'学'是三代共有的,都是教育人民懂得人与人之间的伦理关系。"人伦之理的具体内容则是:父子有亲,君臣有义,夫妇有别,长幼有序,朋友有信。

其四,对民众应该充满同情心。《论语》中叙述了这样一个故事。曾参的一个学生做了法官向老师请教,曾子告诫他说:现今居上位的人不依仁道办事,百姓早就离心离德了。你假若能够审出罪犯的真情,便应该同情他、可怜他,切不要由此而自鸣得意!作为孔子思想的主要传人之一,曾子的这一观念无疑是符合孔子一贯主张的仁道与德治的思想的。连对于犯罪之人,在上位者都应当有矜哀之情,何况对于普遍的民众呢?

其五，不要暴虐民众。孔子反对对人民横征暴敛，这在孔子对冉求帮助季氏聚敛一事的态度上已经体现出来了。他还反对乱用杀戮之刑，例如他在回答季康子所谓"杀无道以就有道，何如"这一问题时，明确表示了不同意见："子为政，焉用杀？"在他看来，如果为政者是一个具有较高品位的君子（善人），且为邦治国相当长时间，就可以达到胜残去杀的境地了。孔子还认为，居上位的人应该屏除四种恶政。这四种恶政是：不加教育便加杀戮，叫作虐；不加申诫便要成绩，叫作暴；起先懈怠，突然限期，叫作贼；同是给人以财物，出手悭吝，叫作小家子气。这四种恶政中，前三种均可以看作是对民众的施暴。对此，孔子是坚决反对的。孟子也同样反对行暴虐之政。他警告说："暴其民甚，则身弑国亡。不甚则身危国削。"这是劝说统治者不要残害百姓，如果暴虐得太厉害，就难免身死国亡，即使不太厉害，也会身处危境而国势遭到削弱。

其六，必须选贤任能。孔子强调，为了对民众负责，必须选贤任能，通过"举直错诸枉"（推举正直有贤德的人放在邪恶的人之上），以使"枉者直"（邪恶的人有所收敛以至近乎正直）。只有正直而有贤德的人在上位才能真正做到仁民而爱物。否则，如果枉者居于上位，老百姓就难免要受到暴虐了。正是在这个意义上，于夏认为孔子"举直错诸枉能使枉者直"的话是一句意义十分丰富的话。他举例说，舜有了天下，在众人之中把皋陶这个具有贤德的人才挑选、提拔出来了，"不仁者"就难以存在了；同样，汤有了天下，在众人之中把有贤德的伊尹挑选、提拔了出来，"不仁者"就难以存在了。孟子同样表达了这样的观念。他说："尊贤使能，俊杰在位，则天下之士皆悦而愿立于其朝矣。"

第三，对政事要忠敬勤勉。

孔子要求，作为一个居上位的君子，要做到忠敬、勤勉。忠敬一方面是指对君主要忠、要敬，要做到"事君以礼"、"事君，能致其身"（侍奉君王，必要的时候能够献出生命），同时对待工作、对待民众也要做到忠诚而恭敬，以高度的敬业精神，勤奋勉力，做好事情。当子张问政于孔子时，孔子告诉他，为政要"居之无倦，行之以忠"。这里在位不要懈怠可以说是包括了敬与勤的要求，执行政令要忠则直接体现了忠的要求。孔子还强调为政要"先之，劳之"，并且"无倦"。这也就是说，凡要求民众做到的，自己先做到；凡民众的事情，为政者都要以身劳之，而且如此永不倦怠。对政事的忠敬勤勉，的确表现的是一颗仁民爱物之心。

第四，必须廉洁奉公。

前文已经论及，"义以为上"是儒家"义利之辨"的基本价值取向。立足于"义以为上"的精神追求，儒家明确提出了"廉洁"的要求。孔子反对冉求为季氏聚财，其中也包含了他认为居上位者应当廉洁奉公的意思。当林放问礼之本时，孔子回答说："礼，与其奢也，宁俭。"把俭约提到"礼之根本"的高度来加以强调。孔子把"欲而不贪"即欲仁欲义而不贪私利列为当政者的五种美德之一。他大力赞叹禹说：禹，我对他没有批评了。他自己吃得很坏，却把祭品办得很丰盛；穿得很坏，却把祭服做得极华美；住得很坏，却把力量完全用于沟渠水利。在这里，孔子为在上位者塑造了一个廉洁奉公、勤勉守礼的圣王形象。也正是在这个意义上，孟子认为"取伤廉"即贪得就会有害于廉洁，其结果必定殃及自身：诸侯有三件宝：土地、人民、政事。以珠玉为宝者，必然招致灾祸。孟子表彰商汤时期的贤相伊尹的话，同样可以看作儒家在廉贪问题上的严训：如果不符合道义，即使把天下的财富都作为俸禄给予他，他也不屑一顾。即使给他一千辆马车，他也不看一眼。如果不符合道义,他一点小东西也不会给予别人,一点小东西也不会取诸别人。这也使人联想起他的"大丈夫"气概:居住在天下最广大的居所里,立足于天下最正大的位置上,行走在天下最广阔的道路上,壮志得酬就与百姓一道去努力,如果不得志就独自走自己的路。富贵不能使他折腰,贫贱不能动摇他的意志,武力不能使他屈服,这就是大丈夫! 事实证明,只有廉洁奉公,而不是以权谋私、中饱私囊,才能真正为民众办实事。

二、以礼为纲,以法为辅

儒家德治主义政治思想的一个重要内容,是"以礼为纲,以法为辅"。在这方面,从孔孟荀到董仲舒再到宋明理学家,在总体上堪称均保持了内在一致的基本理论立场。为了更为集中地讨论问题,我们这里的叙述依然以孔子的相关思想为主予以展开。

在儒家政治思想中,礼可以说是整个安邦治国的纲纪。早在孔子以前,在周初以来的礼乐文化中,礼的作用就受到了较为充分的重视。在《左传·鲁隐公十一年》中就记载了这样一段话:"礼,经国家、定社稷、序民人、利后嗣者也。"这也就是说,礼既是为邦治国的基本制度,也是安定社会的基本纲领,同时还可以条理人民的生活秩序,滋润后嗣的德性生命。前文已经指出,孔子提过揭明仁的自觉,为礼确立了内在的人性根据,同时也就为作为一种典章制度与生活规范的礼的推行确立了内在的动力。由此,仁与礼在德治政治中就具有了紧密的联系:一方面是仁成为礼的内在根据与推行礼的内在动力,另一方面是礼成为德治仁政的具体化、落实化与实现仁政的基本途径。

为此,孔子多处强调了礼的作用。当孔子最为得意的学生颜回问"仁"时,孔子答复说,"克己复礼为仁",并以"非礼勿视,非礼勿听,非礼勿言,非礼勿动"作为成就仁德的入德之径。孔子还明确地指出,"一日克己复礼,天下归仁焉"。可见,只有通过克己的功夫,使自天子以至庶人的"视听言动"都能符合礼的规范和要求,才能达到"天下归仁"的至境。他甚至把以礼治国提到了为政之根本大计的高度。他说:"能以礼让为国乎,何有?不能以礼让为国,如礼何?"在他看来,如果言行不合礼就会带来德性上的缺失:注重容貌态度的端庄,却不知礼,就未免劳倦;只知谨慎,却不知礼,就流于畏葸懦弱;专凭敢做敢为的胆量,却不知礼,就会盲动闯祸;心直口快,却不知礼,就会尖刻刺人。

在儒家的德治主义政治思想中,礼既是国家政治行为运作的基本规范,也代表了人民日常生活的基本途径,同时还是教化人民的基本手段。因此,以礼治国成为儒家关于为邦治国的基本纲领。但是儒家以礼治国的思想却又不是像某些论者所认为的那样,是礼治与法治相对立的。事实上,它们在现实的政治行为中是互为表里的,在一定的意义上,儒家的为邦治国思想堪称是"以礼为纲,以法为辅"的。这在孔子的思想中,同样有明确论述。孔子关于礼与法的关系的论述,主要见诸下面两段话:

用政法来诱导他们,用刑罚来整顿他们,人民只是暂时地免于罪过,却没有廉耻之心。如果用道德来诱导他们,用礼教来整顿他们,人民不但有廉耻之心,而且人心归服。

名分不正,言语便不能顺理成章;言语不顺理成章,事情就办不好;事情办不好,国家的礼乐教化也就兴办不起来;礼乐教化兴办不起来,刑罚也就不会得当;刑罚不得当,老百姓就会不知如何是好,连手脚都不知道往哪里摆了。

从上面两段话里,我们可以得出两条结论。

第一,礼乐与刑罚是相互关联的。

孔子在礼乐不兴之后马上谈到刑罚不会得当,表明在孔子看来,礼乐与刑罚是紧密相关的。汉初贾谊曾指出,礼的作用是"禁于将然之前",而法则"禁于已然之后"。从孔子以礼为国的纲纪,并以"礼乐兴"作为"刑罚中"的前提来看,可以认为,贾谊的上述观点吸取了孔子的有关思想。礼首先是一种先在的生活规范与仪式,它在规定了该怎样做的同时,也就对不该怎样做有了一种限定。不仅如此,在孔子那里,礼又不只是一种外在的规范与仪式,而是要通过礼的熏陶以达到仁的自觉,从而把对生活规范的遵守与维护内化为人之自觉行为。人们认识到了礼的意义价值以及遵守礼、维护礼的必要性与重要性,就会自觉地守礼而不违礼。这样,礼当然是"禁于将然之前"的。而一旦某个人的行为违背了基本的生活规范制度而且达到了触犯法律的地步,那么社会必须对他绳之以法。这对惩前毖后而言,固然有着一定的警示作用,但对当事者而言,它又的确是"禁于已然之后"的。就它们作为维护社会生活的必要手段来看,应当说,礼与法一前一后的作用是具有互补性而不可或缺的。

第二,礼治为主,法治为辅。

这从孔子以"礼乐不兴"作为"刑罚不中"的前提就能看得到。孔子对于道之以政、齐之以刑与道之以德、齐之以礼的结果的比较更充分地说明了这一点。在孔子看来,如果只靠政治法令来诱导、用刑罚来整治,人民也许暂时能免于犯罪,但却因为"无耻"而免不了终究要触犯法律。而且即使是这样维持的社会安定,也是以牺牲社会整体的向心力与凝聚力为前提的。相反,如果我们以道德来诱导他们,使用礼教来约束他们,那么,人民不但有廉耻之心,能主动自觉地避开犯罪,而且还会人心归服。这两种为政方式的不同结果的对比是鲜明的。因此,在孔子看来,礼治显然要优于法治。至少,法治必须要有礼治作为基础,寡头的法治是不能使社会达到安顺和乐之境的。所以他明确反对季康子"杀无道以就有道"、滥用刑罚的主张,而强调必须要动用德治、礼治的办法来治理社会,使民德振起。

在现代社会中,道德仍然可以看作是刑罚的基础。如果一个社会的成员都没有道德感可言,都成了肆无忌惮、鲜廉寡耻者,那么法治就要么无法存在,要么变得极其可怕。那么,在儒家思想中,独一的礼制行不行得通呢?

我们认为,在孔子那里,或许是承认可以仅仅以礼来治理国家的。当然,这必待德治社会的高度发达以后才可能。孔子认为,"善人为邦百年,亦可以胜残去杀矣"。尽管为邦为国要达到胜残去杀、不用刑罚的地步十分不容易,即使有着较高道德品位的善人,也必须为邦百年才有望,但它毕竟是可以达到的。在另一个地方,孔子还说:"听讼,吾犹人也。必也使无讼乎?"显然,如果真的通过德治而连诉讼都消灭了,那么这个国家与社会的刑罚制度也就失去了存在的必要了。孔子所设想的超越了刑罚制度而以德、以礼治国的社会,充分地表现了儒家政治哲学中"道德理想主义"的色彩。

天下为公

"平天下"构成了儒家修齐治平之道的最后一个环节。其理想境界用《礼记·礼运》中的话来说，就是"天下为公"或曰"以天下为一家，以中国为一人"。

一、悦近来远

把注重德性与德行的精神品格推之于处理族群与族群或国家与国家之间的关系，儒家形成了"以德服人"的准则。大家都知道，在儒家思想中有"夏夷之辨"。它讨论的问题是"华夏"族群与周边其他族群或曰"夷狄"之间的关系问题。在这方面，"夏夷之辨"体现了两个十分鲜明的特点。

第一，不以种族而以文化来划分"华夏"与"夷狄"。在谈到孔子作《春秋》的宗旨时，唐代思想家韩愈曾经指出："孔子之作春秋也，诸侯用夷礼则夷之，夷而进于中国则中国之。"考之于《春秋》，韩愈的确所言不虚。如《春秋》曾将吴、越、楚以及羌戎、白狄等称为"夷狄"。但如果从血缘关系看，这些部族实际上都有华夏的血统。只因为他们不尊周室、不行礼乐，故"夷狄之"。其后有的夷狄发生了变化，能够尊王室而行礼义，则又视其为"中国"。根据潜苗金等学者的研究，定公四年之所以在"蔡侯以吴子及楚人战于柏举"中对吴称"子"以尊其爵，以诸夏视之，乃是因为这次吴子在帮助蔡侯打击楚人的柏举之役中，能伸张诸夏之正义，而回击夷狄（指楚）之无理。但就在同一役中，当吴人进入楚都郢以后所作所为野蛮无礼，于是对吴又不称"子"，而"夷狄之"了。可见，这里划分"华夏"与"夷狄"的标准不是种族的,而是文化的,是以是否践行礼乐制度作为准衡的。也正是由于立足于这样的认识,面对当时诸夏国"礼坏乐崩"的混乱局面,孔子感叹地说:连夷狄都有君臣礼义,但是华夏却没有。

第二,强调在处理族群关系时,要以德服人而非以力服人。叶公向孔子请教"为政"的事,孔子以"近者说(悦),远者来"答之。那么,如何让"远方的人来投奔你"呢?孔子在另外一个地方做了回答。他指出:"远人不服,则修文德以来之。"这就是说,如果远方有族群不愿意亲近我们,那就应该自我反省,肯定是因为我们的德性还没有修养得足够好,在德性上的示范作用还起得不够。这就要求我们进一步地修明礼乐仁义,以使远方的族群能够心甘情愿地来做我们的朋友。在这里,在处理与其他族群的关系方面体现出了两个基本的价值取向。其一,碰到问题应该反求诸己,而不是责怪于人。远人不服,不是去责怪他们不懂道理、不懂礼义,而是要从自己身上找原因,看看自己什么地方做得不对或不够。其二,倡导以德服人而非以力服人。

归根结底,夏夷之辨的上述两方面的特征均体现了"重德"的要求。"以德服人"直接体现为"重德",礼乐制度的根基与底蕴也依然是"德"。正是在这里,体现出了"平天下"与"修身齐家治国"之间一以贯之的内在一致性。以修身成德为起点,进而齐家,进而治国,最终达于"平天下"——以天下为一家,以中国为一人,即使整个天下像是一个家庭,全体国民像是一个人。《礼记·礼运》关于这一问题的具体论述依然闪耀出了"德治"的光芒:所以古圣先贤能够使天下像一家一样,使全体国民像一个人一样,并不是凭着主观任意的想象,而是通过知晓人情,了解人义,明于人利,熟悉人患,然后才能做到。何谓人情?喜、怒、哀、惧、爱、恶、欲,这七种不学而能的情感就是人情。何谓人义？父亲慈祥，儿子孝敬，兄长友善，弟弟恭顺，丈夫恩义，妻子听从，长者恩惠，幼者逊从，君主仁爱，臣子忠良，这十种人伦关系的准则就叫人义。讲究诚信，追求和睦，这叫作人利。互相争夺残杀，就叫作人患。圣人要想调理人的七情，修明人际的十义，讲究诚信，追求和睦，崇尚谦让，去除争夺，除了礼治以外，哪有更好的办法？

以反求诸己、以德服人作为处理族群与族群之间关系的基本原则，体现了儒家的忠恕精神与仁者情怀。在这一原则的主导下，不仅不会认为强大者有资格、有权利欺凌、压榨弱小者，而且恰恰是要求强大者理当同情弱小者、帮助弱小者。这一原则显然也不会简单地认同所谓"物竞天择，适者生存"，更不会认可"落后就要挨打"。也正因为如此，中华民族自古就是一个爱好和平的民族，中华民族的确没有对外侵略、穷兵黩武的文化"基因"。在一定程度上，坚持"以德服人"，也是中华文化与中华民族在几千年的发展演进中虽历尽艰难曲折，却终究"可大、可久"的重要原因。在对外关系方面，以儒家思想为主体的中华文化的基本追求，就是秉持"天下情怀"，主张在以自己的德慧之行"表正万邦"的基础上，不仅做到"强不执弱，众不劫寡，富不侮贫，贵不傲贱"，而且能够"亲仁善邻"、"卫弱禁暴"、"以大事小"，以臻于"协和万邦"、"合和万国"、"万国咸宁"、天下太平的理想境地。

正如有论者曾经指出的，尽管人类已经在"文明"时代生活了几千年，人类在物质文明方面已经前进到了航天时代，但是，时至今日，在动物世界里就已经出现的"丛林规则"却依然是支配国际政治经济秩序的重要准则，不仅恃强凌弱、弱肉强食依然可以在国际关系之中畅行无阻，而且暴力依然是处理国际关系中最后的准则，"落后就要挨打"，谁的"拳头"硬,道理就在谁那边。由此,大国、强国不仅可以在政治上压迫、经济上掠夺小国、弱国,而且还可以种种借口使用武力侵略甚至占领小国、弱国,小国、弱国则只能成为国际社会的弱势群体,无奈地任凭大国、强国摆布以至宰割。在一定意义上,建立在丛林规则基础上的国际秩序不仅加剧了民族国家之间的竞争、冲突与战争,而且还迫使许多后起的现代化国家为了生存而走上了以破坏环境与生态为代价的不良发展道路,从而进一步加剧了人类与自然之间的紧张与对立。与此形成鲜明对比的是,儒家思想不仅倡导而且在传统社会中曾经长期践行的恰恰正是对反于丛林规则的"忠恕规则"或"互助规则",是立足于平等待人、"推己及人"之上的"己欲立而立人,己欲达而达人",强调的是国与国之间建立在平等基础上的合作与和谐,大国不仅不能罔顾他人、为所欲为,而且应当以身示范、表正万邦,不是弱肉强食而是卫弱禁暴,不是暴力而是和平,不是由差异而冲突,而是求同存异。这其中的基本价值取向显然与目前实际通行的国际准则保持了相当的张力,而在一定程度上体现了以儒家思想为主体的中国文化"中国一人,天下一家"的"仁者情怀"。面向未来,如果人类还要继续提升自己的"文明"程度,那就不能永远任凭"丛林规则"通行。在这里,我们也能从一个侧面见出儒家思想在当代所具有的普遍性意义。

二、大同之世

儒家社会政治思想的归结是通过"平治天下"而达到"道德的理想国"——大同之世。根据现有的资料,"大同之世"的思想首先见于《礼记·礼运》:大道实行的时代,天下为公。德才兼备的人被推举为领导,人们彼此之间讲究诚信,追求和睦。所以人们不仅把自己的亲人当作亲人,不仅把自己的

子女当作子女,而是使老年人都能安度晚年,青壮年人都有
工作可做,年幼者则都能健康成长,矜寡孤独与残疾有病者
都能得到应有的照顾。男子都有职分,女子都适龄而嫁。对
于财货,人们只是反对把它白白扔在地上的行为,并不一定
要自己私藏;对于气力,人们生怕不是出在自己身上,却不一
定为谋一己之私利。所以奸邪之谋就不会发生,盗窃作乱的
现象就不会出现。这样就可以夜不闭户。这就叫大同。

　　与大同之世相对应的,是以各自为己为基本特征的"小
康"社会。它的主要特征是:如今大道既然隐而不显,天下成
为一家一姓的天下。人们只孝敬自己的父母,只爱护自己的
子女,生产货物和付出劳力,都只为自己考虑。居于上位者
世代承袭成为制度。大家各自修筑城郭和壕沟来坚固自己
的城池,以礼义法度为纲纪,以确定君臣的名分、加深父子的
亲情、和睦兄弟的感情,使得夫妻和谐相处。由此而设立制
度,划定田界,称赏勇敢与聪明的人,并把功劳归于自己。这
样一来,勾心斗角就难免产生了,而兵事也就由此而起。夏
禹、商汤、周文王、周武王、周成王和周公,都是这时代出类拔
萃的代表人物。这六位贤德君子,没有一个不是勤谨地以礼
治国的。他们以此来发扬礼义,讲求信义,辨明过错,推行仁
爱,讲求礼让,向民众发布行为准则。如果有人不按照这样
做的话,在官位的要罢免,众人视他为祸首。这就叫作小康
世界。

　　尽管《礼记》属于儒家的经典,而且"礼运"把上述关于
"大同"与"小康"的区分直接归之于孔子,但对大同之世界是
否属于孔子乃至是否属于儒家的思想的问题却一直存在着
不同意见。有人将它视为墨家的主张,还有人甚至认为这一
主张是道家的。我们认为,如果不是要具体地考订孔子究竟
是否讲过上述话、对谁讲过上述话,而是从思想史的角度来

对大同思想本身做出分析，我们完全有理由相信，大同之世堪称是代表了孔子儒家的社会理想。

首先我们看，大同之世的有关主张与孔子的有关思想是相符合的。在大同世界里，天下为公，选贤与能、讲信修睦，人不独亲其亲，不独子其子，使老有所终、壮有所用、幼有所长，矜、寡、孤、独、废疾者皆有所养，这些思想与孔子的有关思想是相符的。他称赞尧是"唯天为大，唯尧则之"，其中也有认为尧像天一样大公无私的意思。孔子十分注重任人唯贤，多次强调"举贤才"、"举直错诸枉"，认为圣王达到天下大治必与选贤与能有着十分重大的关系，关心从政的弟子时也要问他是否得人。孔子要求弟子"言忠信，行笃敬"，十分注重人际关系的和谐。孔子强调要"己欲立而立人，己欲达而达人"，要通过推己及人的等差之爱而达到仁民爱物的境界。他不仅以"老者安之，朋友信之，少者怀之"为自己的志向之所在，而且盛赞"修己以安百姓"、"博施于民而济众"的圣者情怀。这些与大同思想都若合符节。

进而言之，我们说，大同之世正可以视为孔子儒家社会政治思想的必然归宿。正如前文已经指出的，孔孟荀等汲汲皇皇要入世为邦，其最终目的就是要在人世间建成一个胜残去杀、安和乐利、天下为公，以德治礼治为纲纪的理想社会。大同之世不仅与早期儒家的有关思想在具体内容上有一致之处，而且在实现手段上亦十分接近。《礼运》通篇都十分强调礼的作用，认为"礼者，君之大柄也"，"故礼义也者，人之大端也"，"唯圣人为知礼之不可以已也"，"夫礼，先王以承天之道，以治人之情"，所以"失之者死，得之者生"。可以说，"礼治"正是大同之世得以实现的根本途径。"礼"所体现的是"德"，大同之世同时也堪称"盛德"之世。因此，我们可以得出结论，所谓大同理想，正是以礼治的手段所达到的"道德的理想国"。而这不也正是孔子所开创的儒家社会政治思想的基本特征之所在吗？因此，即使孔孟荀等没有直接表述过大同思想，这一思想也堪称是深得孔孟荀等心之所同然的。

在一定意义上，大同、小康的区分在孔子思想中可谓已见端倪。尧舜禹汤文武周公虽然都可以看作是孔子的楷模与榜样，但是其中仍有差别，这就是《中庸》所说的，孔子"祖述尧舜，宪章文武"。比较而言，孔子的确对于尧、舜有更多的赞美之辞，而对于商汤、周武等虽然也颇为敬服，但也可以说是略有微辞。原因在汤武革命虽然是"顺乎天，应乎人"的，但毕竟是靠征伐而取得政权的，因而并不是"尽善尽美"的。这从孔子对舜时的乐曲"韶"与武王时的乐曲"武"的不同评价中可以见出消息。"子谓韶，'尽美矣，又尽善也'。谓武，'尽美矣，未尽善也'。"这里"美"指声音言，"善"指内容言。因为舜与周武得到天子位分别是由"禅让"和"征伐"，所以孔子认为《韶》与《武》的内容有"尽善"与"未尽善"之别。这里所谓大同，可以看作是一幅把尧舜时代理想化了以后的社会蓝图。所谓小康则是指文、武、周公所建立的"郁郁乎文哉"的西周社会。大同与小康的区分大体上符合孔子对于尧舜之世与汤武之世的不同看法。因此，我们认为，大同思想是符合孔子的社会理想的。

作为儒家思想的创始人，孔子曲折的人生遭遇与坚定的人生态度也能从侧面印证这一点。尽管孔子生活的时代依然是周王朝在名分上一统天下的时代，但这个时代却早就"礼坏乐崩"，由小康而沦为乱世了。孔子对此有着明确的认识。当有一次子贡问"怎样才可以叫作士"时，孔子为"士"排了一个等次，分别是：行己有耻，使于四方，不辱君命；宗族称孝，乡党称弟；言必信，行必果，硁硁然小人哉。子贡进一步问道：今天从政者怎么样？孔子毫不含糊地回答道：嗨！这帮器识狭小的人何足挂齿？既然当时的从政者连"硁硁然"的真小人也算不上，其时"天下无道"的状况就不难想象了。

据《史记·孔子世家》记载，当孔子与弟子被围于陈蔡之间，处境十分困难时，孔子曾经召来了他最得意的三个弟子子路、子贡与颜回，请他们就仁道何以难行于世谈谈自己的看法。子路有"愠色"（怒容），对"夫子之道"产生了怀疑，认为人家不用夫子之道，不信夫子之道，是不是表明"夫子未仁与"？"夫子未智与"？况且夫子"积德怀义，行之久也"，为什么还这么穷困不通呢？子贡则认为，"夫子之道至大，故天下莫能容"，他由此建议"夫子盍少贬焉"？意即建议孔子对至大的道略作贬损，以迁就现实。孔子对他们的回答均不满意，并且都有针对性地予以了教诲。

颜回毕竟不同凡响。他回答道：夫子之道至大，天下莫能容。虽然如此，夫子推而行之，世不我用，这乃是"有国者之丑也"，于夫子何干？正是由于夫子不为无道之世所容，才能更见出夫子的伟岸来。孔子对于颜回的这一回答极为赞赏，他欣然赞叹到：是这样啊，颜渊。假使你很富有，我情愿给你做管家。

正像颜回所说的，孔子之道为乱世所不容，恰恰说明了孔子之道并不是消极适应乱世的处世之道，而是具有高远的理想性。所谓大同与小康的区分正代表了不同的理想层面。由于当时已处于乱世，因而可以期待的目标首先只能是"小康"。为此，孔子热心于要恢复作为社会之基本规范的典章制度与生活秩序，即"复礼"。在小康之世中，由于"谋用是作"、兵戎四起，虽然难免还要以刑罚杀戮来作为礼乐的辅助，但总比一个礼坏乐崩、天下大乱、臣弑君而子杀父的乱世要好得多。

小康社会的实现，可以看作向大同迈进的基础。通过更进一步的德治与礼治,使百姓、士君子、大臣及君主都能不断地修己以敬、克己复礼,都能做到非礼勿视、非礼勿听、非礼勿言、非礼勿动,从而最终抵于"天下归仁"的理想境界,大同之世的实现就有望了。

道德理想国的出现,堪称孔子儒家社会政治思想的一个归宿。孔子把人之所以为人的本质界定为是"仁"即同类之间的一种仁爱之情。由此,孔子实际上已经内在地界定了人性为善,尽管他并没有明言人性善。立足于人性之仁的基础,孔子十分注重个人的自我修养,把通过自己的亲身实践的休认以及"博学于文"看作是君子最终获得行仁之自觉以及行仁之能力的基本途径,为个人的修养指点了一条做君子而不做小人、由一般的君子到贤人以至圣人的人生修持之路。这样,"自天子以至于庶人,壹是皆以修身为本",通过修、齐、治、平,整个社会就会成为一个"君子之国","安百姓"的外王事功也会随之达到新的历史高度。其结果则是理想的道德世界——大同之世的来临。

原典选读

或谓孔子曰:"子奚不为政?"子曰:"《书》云:'孝乎! 惟孝,友于兄弟,施于有政。'是亦为政,奚其为为政?"

子曰:"为政以德,譬如北辰,居其所而众星共之。"

季康子问政于孔子。孔子对曰:"政者,正也。子帅以正,孰敢不正?"

子曰:"其身正,不令而行;其身不正,虽令不从。"

定公问:"君使臣,臣事君,如之何?"孔子对曰:"君使臣以礼,臣事君以忠。"

子曰:"大哉尧之为君也! 巍巍乎! 唯天为大,唯尧则之。荡荡乎! 民无能名焉。巍巍乎其有成功也! 焕乎其有文章!"

子曰:"巍巍乎,舜、禹之有天下也,而不与焉!"

子贡曰:"如有博施于民而能济众,何如? 可谓仁乎?"子曰:"何事于仁! 必也圣乎? 尧舜其犹病诸!"

子路问君子。子曰:"修己以敬。"曰:"如斯而已乎?"曰:"修己以安人。"曰:"如斯而已乎?"曰:"修己以安百姓。修己以安百姓,尧舜其犹病诸?"

子曰："禹,吾无间然①矣。菲饮食而致孝乎鬼神,恶衣服而致美乎黻冕②,卑宫室而尽力乎沟洫。禹,吾无间然矣。"

子谓子产:"有君子之道四焉:其行己也恭,其事上也敬,其养民也惠,其使民也义。"

季氏富于周公,而求也为之聚敛而附益之。子曰:"非吾徒也。小子鸣鼓而攻之可也。"

哀公问于有若曰:"年饥,用不足,如之何?"有若对曰:"盍彻③乎?"曰:"二,吾犹不足,如之何其彻也?"对曰:"百姓足,君孰与不足? 百姓不足,君孰与足?"

子张问仁于孔子。孔子曰:"能行五者于天下,为仁矣。""请问之。"曰:"恭宽信敏惠。恭则不侮,宽则得众,信则人任焉,敏则有功,惠则足以使人。"

子张问于孔子曰:"何如斯可以从政矣?"子曰:"尊五美,屏四恶,斯可以从政矣。"子张曰:"何谓五美?"子曰:"君子惠而不费,劳而不怨,欲而不贪,泰而不骄,威而不猛。"子张曰:"何谓惠而不费?"子曰:"因民之所利而利之,斯不亦惠而不费乎? 择可劳而劳之,又谁怨? 欲仁而得仁,又焉贪? 君子无众寡,无小大,无敢慢,斯不亦泰而不骄乎? 君子正其衣冠,尊其瞻视,俨然人望而畏之,斯不亦威而不猛乎?"子张曰:"何谓四恶?"子曰:"不教而杀谓之虐;不戒视成谓之暴;

---

① 无间然:无可挑剔。
② 黻冕:古代祭服。
③ 彻:春秋时期的一种税收制度,税率为十分之一。

慢令致期谓之贼；犹之与人也，出纳之吝谓之有司①"。

子曰："道千乘之国，敬事而信，节用而爱人，使民以时。"

子适卫，冉有仆。子曰："庶矣哉！冉有曰："既庶矣，又何加焉？"曰："富之。"曰："既富矣，又何加焉？"曰："教之。"

孟氏使阳肤为士师②，问于曾子。曾子曰："上失其道，民散久矣。如得其情，则哀矜而勿喜！"

季康子问政于孔子曰："如杀无道，以就有道，何如？"孔子对曰："子为政，焉用杀？子欲善而民善矣。君子之德风，小人之德草。草上之风必偃。"

樊迟问仁。子曰："爱人。"问知。子曰："知人。樊迟未达。子曰："举直错诸枉，能使枉者直。"樊迟退，见子夏曰："乡也吾见于夫子而问知，子曰：'举直错诸枉，能使枉者直。'何谓也？"子夏曰："富哉言乎！舜有天下，选于众，举皋陶，不仁者远矣。汤有天下，选于众，举伊尹，不仁者远矣。"

子张问政。子曰："居之无倦，行之以忠。"

子路问政。子曰："先之劳之。"请益。曰："无倦。"

林放问礼之本。子曰："大哉问！礼，与其奢也，宁俭；

---

① 有司：本指一般从事管理的人员，这里有吝啬、小气的意思。
② 士师：这里指法官。

丧,与其易也,宁戚。"

子曰:"能以礼让为国乎,何有? 不能以礼让为国,如礼何?"

子曰:"恭而无礼则劳,慎而无礼则葸①,勇而无礼则乱,直而无礼则绞②。君子笃于亲,则民兴于仁;故旧不遗,则民不偷。"

子曰:"道之以政,齐之以刑,民免而无耻;道之以德,齐之以礼,有耻且格。"

子路曰:"卫君待子而为政,子将奚先?"子曰:"必也正名乎?"子路曰:"有是哉,子之迂也! 奚其正?"子曰:"野哉,由也! 君子于其所不知,盖阙如也。名不正,则言不顺;言不顺,则事不成;事不成,则礼乐不兴;礼乐不兴,则刑罚不中;刑罚不中,则民无所措手足。故君子名之必可言也,言之必可行也。君子于其言,无所苟而已矣。"

子曰:"'善人为邦百年,亦可以胜残去杀矣。'诚哉是言也!"

子曰:"听讼,吾犹人也。必也使无讼乎?"

叶公问政。子曰:"近者说,远者来。"

---

① 葸:胆小。
② 绞:尖刻。

　　季氏将伐颛臾。冉有、季路见于孔子曰:"季氏将有事于颛臾。"孔子曰:"求!无乃尔是过与?夫颛臾,昔者先王以为东蒙主,且在邦域之中矣,是社稷之臣也。何以伐为?"冉有曰:"夫子欲之,吾二臣者皆不欲也。"孔子曰:"求!周任有言曰:'陈力就列,不能者止。'危而不持,颠而不扶,则将焉用彼相矣?且尔言过矣。虎兕出于柙①,龟玉毁于椟中,是谁之过与?"冉有曰:"今夫颛臾,固而近于费。今不取,后世必为子孙忧。"孔子曰:"求!君子疾夫舍曰'欲之'而必为之辞。丘也闻有国有家者,不患寡而患不均,不患贫而患不安。盖均无贫,和无寡,安无倾。夫如是,故远人不服,则修文德以来之。既来之,则安之。今由与求也,相夫子,远人不服而不能来也,邦分崩离析而不能守也,而谋动干戈于邦内。吾恐季孙之忧,不在颛臾,而在萧墙②之内也。"

　　子张问行。子曰:"言忠信,行笃敬,虽蛮貊之邦,行矣。言不忠信,行不笃敬,虽州里,行乎哉?立则见其参于前也,在舆则见其倚于衡也,夫然后行。"子张书诸绅③。

　　颜渊、季路侍。子曰:"盍各言尔志?"子路曰:"愿车马衣轻裘与朋友共,敝之而无憾。"颜渊曰:"愿无伐善,无施劳。"子路曰:"愿闻子之志。"子曰:"老者安之,朋友信之,少者怀之。"

——节选自《论语》

----

　①　虎兕出丁柙:老虎和犀牛从笼子里跑了出来。
　②　萧墙:古代宫室内作为屏障的矮墙。
　③　绅:古代士大夫束腰的带子。

孟子曰："人不足与适也，政不足间也。惟大人为能格君心之非。君仁莫不仁，君义莫不义，君正莫不正。一正君而国定矣。"

孟子曰："民为贵，社稷次之，君为轻。是故得乎丘民而为天子，得乎天子为诸侯，得乎诸侯为大夫。诸侯危社稷①，则变置。牺牲既成，粢盛②既洁，祭祀以时，然而旱干水溢，则变置社稷。"

齐宣王见孟子于雪宫。王曰："贤者亦有此乐乎?"孟子对曰："有。人不得，则非其上矣。不得而非其上者，非也；为民上而不与民同乐者，亦非也。乐民之乐者，民亦乐其乐；忧民之忧者，民亦忧其忧。乐以天下，忧以天下，然而不王者，未之有也。昔者齐景公问于晏子曰：'吾欲观于转附、朝儛③，遵海而南，放于琅邪。吾何修而可以比于先王观也?'晏子对曰：'善哉问也！天子适诸侯曰巡狩，巡狩者巡所守也；诸侯朝于天子曰述职，述职者述所职也。无非事者。春省耕而补不足，秋省敛而助不给。夏谚曰："吾王不游，吾何以休? 吾王不豫，吾何以助? 一游一豫，为诸侯度。"今也不然：师行而粮食，饥者弗食，劳者弗息。睊睊胥谗④，民乃作慝⑤。方命虐民，饮食若流。流连荒亡，为诸侯忧。从流下而忘反谓之流，从流上而忘反谓之连，从兽⑥无厌谓之荒，乐酒无厌谓之亡。先王无流连之乐，荒亡之行。惟君所行也。'景公说，大戒于

---

① 社稷：土神和谷神的总称。社为土神，稷为谷神。
② 粢盛：盛在祭器内以供祭祀的谷物。
③ 转附、朝儛：山名。
④ 睊睊：因愤恨侧目而视的样子；胥：皆；谗：诽谤。
⑤ 慝：恶。
⑥ 从兽：这里指打猎。

国，出舍于郊。于是始兴发补不足。召大师曰：'为我作君臣相说之乐！'盖徵招角招①是也。其诗曰：'畜君何尤②？'畜君者，好君也。"

齐宣王问曰："汤放桀，武王伐纣，有诸？"孟子对曰："于传有之。"曰："臣弑其君，可乎？"曰："贼仁者谓之贼，贼义者谓之残，残贼之人谓之一夫。闻诛一夫纣矣，未闻弑君也。"

孟子曰："子之君将行仁政，选择而使子，子必勉之！夫仁政，必自经界始。经界不正，井地不钧，谷禄不平。是故暴君污吏必慢其经界。经界既正，分田制禄可坐而定也。夫滕壤地褊小，将为君子焉，将为野人焉。无君子莫治野人，无野人莫养君子。请野九一而助，国中什一使自赋。卿以下必有圭田③，圭田五十亩。余夫二十五亩。死徙无出乡，乡田同井。出入相友，守望相助，疾病相扶持，则百姓亲睦。方里而井，井九百亩，其中为公田。八家皆私百亩，同养公田。公事毕，然后敢治私事，所以别野人也。此其大略也。若夫润泽之，则在君与子矣。"

齐宣王问曰："人皆谓我毁明堂。毁诸？已乎？"孟子对曰："夫明堂者，王者之堂也。王欲行王政，则勿毁之矣。"王曰："王政可得闻与？"对曰："昔者文王之治岐也，耕者九一，仕者世禄，关市讥④而不征，泽梁无禁，罪人不孥⑤。老而无妻

---

① 徵招、角招：均为乐曲名。
② 畜：喜爱；尤：过失。
③ 圭田：这里指供祭祀用的田地。
④ 讥：借指查问、稽查。
⑤ 孥（nú）：本指妻子儿女，这里用作动词。不孥即不牵连妻子儿女。

曰鳏，老而无夫曰寡，老而无子曰独，幼而无父曰孤。此四者，天下之穷民而无告者。文王发政施仁，必先斯四者。诗云：‘哿矣富人，哀此茕独①。’”王曰：“善哉言乎！”

后稷教民稼穑。树艺五谷，五谷熟而民人育。人之有道也，饱食、暖衣、逸居而无教，则近于禽兽。圣人有忧之，使契为司徒，教以人伦：父子有亲，君臣有义，夫妇有别，长幼有序，朋友有信。放勋曰：‘劳之来之，匡之直之，辅之翼之，使自得之，又从而振德之。’圣人之忧民如此，而暇耕乎？

孟子曰：“规矩，方员之至也；圣人，人伦之至也。欲为君尽君道，欲为臣尽臣道，二者皆法尧舜而已矣。不以舜之所以事尧事君，不敬其君者也；不以尧之所以治民治民，贼其民者也。孔子曰：‘道二：仁与不仁而已矣。’暴其民甚，则身弑国亡；不甚，则身危国削。名之曰‘幽’‘厉’，虽孝子慈孙，百世不能改也。诗云‘殷鉴不远，在夏后之世’，此之谓也。”

孟子曰：“尊贤使能，俊杰在位，则天下之士皆悦而愿立于其朝矣。市廛②而不征，法而不廛，则天下之商皆悦而愿藏于其市矣。关讥而不征，则天下之旅皆悦而愿出于其路矣。耕者助而不税③，则天下之农皆悦而愿耕于其野矣。廛无夫里之布④，则天下之民皆悦而愿为之氓矣。信能行此五者，则邻国之民仰之若父母矣。率其子弟，攻其父母，自生民以来，

---

① “哿(gě)矣富人，哀此茕(qióng)独”：哿，可以；茕，孤单。意为“富人总是可以过得去的，应当怜惜那些孤独之人。”

② 廛(chán)：《说文》：“廛，二亩半一家之居也。”这里指交易市场的房屋。

③ 助而不税：除助耕井田制中的公田外不再另课以租税。

④ 夫布、里布：先秦时期的两种税赋。

未有能济者也。如此，则无敌于天下。无敌于天下者，天吏也。然而不王者，未之有也。"

孟子曰："诸侯之宝三：土地，人民，政事。宝珠玉者，殃必及身。"

万章问曰："人有言'伊尹以割烹要汤'，有诸？"孟子曰："否，不然。伊尹耕于有莘之野，而乐尧舜之道焉。非其义也，非其道也，禄之以天下，弗顾也；系马千驷，弗视也。非其义也，非其道也，一介不以与人，一介不以取诸人。"

景春曰："公孙衍、张仪岂不诚大丈夫哉？一怒而诸侯惧，安居而天下熄。"孟子曰："是焉得为大丈夫乎？子未学礼乎？丈夫之冠也，父命之；女子之嫁也，母命之，往送之门，戒之曰：'往之女家，必敬必戒，无违夫子！'以顺为正者，妾妇之道也。居天下之广居，立天下之正位，行天下之大道。得志与民由之，不得志独行其道。富贵不能淫，贫贱不能移，威武不能屈。此之谓大丈夫。"

——节选自《孟子》

天之生民，非为君也；天之立君，以为民也。故古者，列地建国，非以贵诸侯而已；列官职，差爵禄，非以尊大夫而已。

——节选自《荀子》

大学之道，在明明德，在亲民，在止于至善。知止而后有定，定而后能静，静而后能安，安而后能虑，虑而后能得。物有本末，事有终始。知所先后，则近道矣。古之欲明明德于天下者，先治其国；欲治其国者，先齐其家；欲齐其家者，先修其身；欲修其身者，先正其心；欲正其心者，先诚其意；欲诚其意者，先致其知；致知在格物。物格而后知至，知至而后意诚，意诚而后心正，心正而后身修，身修而后家齐，家齐而后国治，国治而后天下平。自天子以至于庶人，壹是皆以修身为本。其本乱而末治者，否矣。其所厚者薄，而其所薄者厚，未之有也！

——节选自《大学》

　　昔者仲尼与于蜡宾。事毕，出游于观之上，喟然而叹。仲尼之叹，盖叹鲁也。言偃在侧，曰："君子何叹？"孔子曰："大道之行也，与三代之英，丘未之逮也。而有志焉。大道之行也，天下为公。选贤与能，讲信修睦。故人不独亲其亲，不独子其子。使老有所终，壮有所用，幼有所长，矜寡孤独废疾者，皆有所养。男有分，女有归。货恶其弃于地也，不必藏于己；力恶其不出于身也，不必为己。是故谋闭而不兴，盗窃乱贼而不作。故外户而不闭，是谓大同。今大道既隐，天下为家。各亲其亲，各子其子。货力为己，大人世及以为礼，城郭沟池以为固，礼义以为纪。以正君臣，以笃父子，以睦兄弟，以和夫妇，以设制度，以立田里，以贤勇知，以功为己。故谋用是作，而兵由此起。禹、汤、文、武、成王、周公，由此其选也。此六君子者，未有不谨于礼者也。以著其义，以考其信，著有过，刑仁讲让，示民有常。如有不由此者，在执者去，众以为殃。是谓小康。

　　故圣人耐以天下为一家，以中国为一人者，非意之也，必知其情，辟于其义，明于其利，达于其患，然后能为之。何谓人情？喜怒哀惧爱恶欲七者，弗学而能。何谓人义？父慈、子孝、兄良、弟弟、夫义、妇听、长惠、幼顺、君仁、臣忠十者，谓

之人义。讲信修睦,谓之人利。争夺相杀,谓之人患。故圣
人所以治人七情,修十义,讲信修睦,尚辞让,去争夺,舍礼何
以治之?

——节选自《礼记·礼运》

孔子迁于蔡三岁,吴伐陈。楚救陈,军于城父。闻孔子
在陈蔡之间,楚使人聘孔子。孔子将往拜礼,陈蔡大夫谋曰:
"孔子贤者,所刺讥皆中诸侯之疾。今者久留陈蔡之间,诸大
夫所设行皆非仲尼之意。今楚,大国也,来聘孔子。孔子用
于楚,则陈蔡用事大夫危矣。"于是乃相与发徒役围孔子于
野。不得行,绝粮。从者病,莫能兴。孔子讲诵弦歌不衰。
子路愠见曰:"君子亦有穷乎?"孔子曰:"君子固穷,小人穷斯
滥矣。"

子贡色作。孔子曰:"赐,尔以予为多学而识之者与?"
曰:"然。非与?"孔子曰:"非也。予一以贯之。"

孔子知弟子有愠心,乃召子路而问曰:"诗云'匪兕匪虎,
率彼旷野'①。吾道非邪? 吾何为于此?"子路曰:"意者吾未
仁邪? 人之不我信也。意者吾未知邪? 人之不我行也。"孔
子曰:"有是乎! 由,譬使仁者而必信,安有伯夷、叔齐? 使
知者而必行,安有王子比干?"

子路出,子贡入见。孔子曰:"赐,诗云'匪兕匪虎,率彼
旷野'。吾道非邪? 吾何为于此?"子贡曰:"夫子之道至大也,
故天下莫能容夫子。夫子盖少贬焉?"孔子曰:"赐,良农能稼
而不能为穑②,良工能巧而不能为顺。君子能修其道,纲而纪
之,统而理之,而不能为容。今尔不修尔道而求为容。赐,而

---

① "匪兕匪虎,率彼旷野":意思是"既不是犀牛也不是老虎,但却在旷野中
游荡"。

② 稼、穑:耕作与收获。

志不远矣！"

子贡出，颜回入见。孔子曰："回，诗云'匪兕匪虎，率彼旷野'。吾道非邪？吾何为于此？"颜回曰："夫子之道至大，故天下莫能容。虽然，夫子推而行之，不容何病，不容然后见君子！夫道之不修也，是吾丑也。夫道既已大修而不用，是有国者之丑也。不容何病，不容然后见君子！"孔子欣然而笑曰："有是哉颜氏之子！使尔多财，吾为尔宰。"

于是使子贡至楚。楚昭王兴师迎孔子，然后得免。

——节选自司马迁《史记·孔子世家》

臣闻天下之事其本在于一人，而一人之身其主在于一心。故人主之心一正，则天下之事无有不正；人主之心一邪，则天下之事无有不邪。如表端而影直，源浊而流汗，其理有必然者。是以古先哲王欲明其德于天下者，莫不壹以正心为本。

——节选自《晦庵先生朱文公文集卷第十二》

普遍和谐

就基本价值取向而言,儒家所追求的是人之自我身心、个人与他人及社会、人与自然以及人与超越的本体(对西方文化而言是上帝,对于印度佛教而言是佛,对于儒家而言则是天地)之间的普遍和谐。由于人之自我身心的和谐、个人与他人及社会的和谐以及人与超越的本体之间的和谐我们或者已经在前面做出论述,或者将在随后予以讨论,本章集中讨论两个方面的问题:一是该如何理解儒家普遍和谐之道的精神内涵,二是儒家在处理人与自然的关系上具有怎样的基本立场。

和而不同

儒家普遍和谐之道的精神内涵，可以用孔子所谓"和而不同"来概括。孔子在总结自西周太史伯阳父以来的"和同之辨"的基础上，提出了"君子和而不同，小人同而不和"的论断。

一、和同之辨

在中国思想史上，最早记载讨论"和同"关系的典籍是《国语·郑语》。在郑桓公与西周太史伯阳父即史伯的谈话中，史伯对应性地使用了"和"与"同"的概念，并说出富含哲理的话语。在他看来，和能生成新的事物，同则只是相同东西的堆积，不能生成新的事物。把不同的因素有机地结合在一起叫作和，因此而能丰富、发展，并使事物不脱离和的统一。如果用相同的东西补充相同的东西，由于得不到发展，事物归根结底就要消亡。正因为此，古先圣王通过使土、金、木、水、火五行的有机结合，而得以助成百物的化生。他还指出，一种声音太单调，没法听；一种物品没有文彩，没法看；一种味道构不成美味；一种事物没比较没法品评。

此后，齐国大夫晏婴在与齐景公的对谈中，进一步言说了这一道理。据《左传·昭公二十年》记载：齐景公从田猎的地方回来，晏子在遄台侍候，梁丘据驱车到来。齐景公说：只有梁丘据与我是和谐的啊！晏子回答说：梁丘据只不过是相同而已，哪里谈得上和谐？齐景公说：和谐跟相同难道不一样吗？晏子回答说：当然不一样。和谐就好像做羹汤一样，用水、火、醋、酱、盐、梅来烹调鱼和肉，用柴薪烧煮，厨师加以调和，使味道恰到好处，既不让它太过清淡，也不让它太过浓烈。君子喝了它，就会心平气和。君臣的关系也是如此。君主认为行而其中有不行的，臣子应指出其不行以使相关考虑更加完备。君主认为不行而其中有行的，臣子应指出其行的内容以去除其不行的内容。这样，政事平和而有序，百姓亦无争斗之心。所以《诗》云，有着调和好的羹汤，味道恰到好处而又干净，神明享用而无可挑剔，上下和睦而无纷争。古先圣王调剂五味、调和五声，是为了心平气和，以助成美政。音乐的道理也一如味道，由一气、二体、三类、四物、五声、六律、七音、八风、九歌等相互配合，由清浊、大小、短长、缓急、悲欢、刚柔、快慢、高下、出入、密疏等互相调节而成的。君子听了这样的音乐，就会心平气和；心平气和，德行就会调谐。所以《诗》云，美善的音乐没有瑕疵。现在梁丘据可不是这样。君主认为行的，他也跟着说行；君主认为不行的，他也跟着说不行。如果只在水里加入水，谁会吃它呢？如果琴瑟只弹一个音，谁会听它呢？不能简单雷同的道理就是如此。

史伯和晏婴都深刻地认识到了"和"与"同"的差别,并鲜明地提倡"和"而反对"同"。正是在此基础上,孔子进一步就"和同之辨"做了总结,专注于从德性的角度,在君子与小人对举的意义上,做出了"君子和而不同,小人同而不和"的归结。在孔子那里,只有互有差别甚至矛盾对立的多种因素、多种事物之间相互依赖、相互调剂、相互补充、相互生发、相互推动而构成的和谐而又充满生机的整体世界,才是君子所应当促成的理想世界。正是基于这样的思想,孔子力图把"和而不同"的原则贯彻到生活实践的方方面面。

在个人修养上,孔子主张既不能让"文胜于质"而流于文弱,也不能让"质胜于文"而流于粗野,而是应该使文与质之间达到均衡与和谐即"文质彬彬",认为这样才能成为一个君子。他还要求人们"知及之,仁守之",即做到仁与智的和谐统一而不使之流于一偏。他强调"君子周而不比",相互之间团结共处,维持大局,而不能相互之间拉帮结派,勾结营私。在学习上,他要求人们"温故而知新",正确处理好新知识与旧知识的关系。同时他还提醒人们要学思结合,既不因学废思,也不因思废学。在为政上,他要求"君使臣以礼,臣事君以忠"。上级对下级不是简单、粗暴地下命令;下级对上级也不是简单地唯命是从,而是要"勿欺也,而犯之",只要自己的意见是正确的、适度的,即使不合上级的口味,也要犯颜而谏之,以期能够通过协调差异而使政务办得恰到好处。孔子还提倡在用人上"举直错诸枉",即把正直的人安排在不正直的人上面,以期能使"枉者直"。《论语》中还说:"礼之用,和为贵;先王之道,斯为美。"这就鲜明地把"和"指认为礼之大用(或曰为政之主要目标),而且认为二帝三皇之道最为美好的地方也正在这里。

二、和谐化辩证法

孔子之后,对普遍和谐的追求成为儒家思想的一个重要特色。《中庸》指出,万物共同生长而不相妨害,天地之道并行而不相违背,小的德行川流不息,大的德行敦厚化育,这就是天地之所以可久、可大的道理。这是将建立在和而不同基础上的普遍和谐看作天地之道的题中应有之义。在另一处,《中庸》将此意表达得更为明确:中是天下的大本,和是天下的大道。达到中和之境,就能天地各安其所,万物各遂其生。这就明确地表示,建立在"中"这一天下之大本基础上的"和"是天下之达道,人能够达致天下之达道,则可以使天地万物达到各安其所的理想境界。原始儒家揭明的追求普遍和谐的理论意向经后儒的不断发明推扩而成为儒家基本的价值取向之一。这从朱熹对上引《中庸》一段话的解释中就不难窥出端倪:致是推而极之的意思。位是各安其所的意思。育是各遂其生的意思。自存养戒惧恐惧的诚敬之心而进一步规约自己,以至于至静之境而没有毫厘偏倚且中有所守,这就达到了"中"的最高境界而天地各安其位。自慎独的修养功夫而不断而精纯,以至于应事接物之处没有丝毫差错,而且随时而化,这就达到了"和"的最高境界而万物各遂其生。这是说,通过人的践性成德以致中和,其极致即可达到"天地位"而"万物育"的理想境界。

正如朱熹将"和"与"生"相联系所显示的,在儒家哲学中"和谐"与"生生"是紧密相连的。"仁"既是人之为人的本质所在,又是维护人类社会存在的基本规范,而天地也以其不断创发、培护出新的生机与活力而表现出仁的最高形态——生生之德。由此,不仅人世间是充满生机与活力的,而且上达于天宇、横阔于万物,也无一不被大化流行的生生之意所充满。立足于仁之通内外、贯天人、彻幽明的感通遍润的发用，儒家追求一种人之自我身心、个人与他人、人与自然、人与超越之天地宇宙的普遍和谐。充满生机与活力的大宇长宙不是趋向于事物之间由于差异而生产矛盾和不协，而是趋向于事物之间建立在"和而不同"基础上的相互依赖、相互成就的"太和"状态。人作为天地间唯一具有主观能动性因而最为珍贵的存在者，其重要的存在使命就是促成和谐、消除不和谐状态，以充分体现天道之"仁"。与此同时，"生生"与"和谐"又是贯通为一的。一方面，离开了具有差异性之事物的相互补充、相互调节，大宇长宙就只能是死水一潭，难以焕发出生机与活力。另一方面，也正是由于大宇长宙之生命本身就表现为大化流行，处于差异甚至矛盾之中的事事物物才可能在不断变化与演进之中趋于和谐。"生生"与"和谐"的一体，共同构成了儒家人文主义的基本价值系统。扩而大之，亦可以说，"生生"与"和谐"的一体，共同构成了中国文化的价值理想。由此，对包括人、人类社会与自然宇宙在内的万事万物的充满生机与活力的"太和"之境的追求，就成为中国文化最高的理想境界。

与对普遍和谐的追求密切相关，儒家思想将万物走向和谐视为一个趋向于生机平衡即事物的构成要素之间和谐共处、共生并形成相对稳定、协调之均势的过程。这至少表现在以下三方面。

第一，就世间万物的基本存在要素而言，它们均是由既相区别又相渗透从而形成相对稳定均势的两方面即阴阳构成的。"阴阳对待"被看作天地宇宙、万事万物基本的存在形态，凡存在的事物都内在地具有既相区别而又相渗透的阴阳两极。正是阴阳两极的共处、共生而形成的相对稳定的均势，构成了天地宇宙、万事万物在变动不居中得以保持自身相对稳定性的基本前提。《周易》不仅把阴、阳作为状述天地宇宙与万事万物的存在与变化形态的基本符号与运行图式，而且自觉地把阴阳的交互作用上升到了宇宙之基本运行律则的高度来认识，因而有"一阴一阳之谓道"的论断。正是依据阴阳学说、以阴阳为基本范畴并将万物的形成与变化归结为阴阳消息，《周易》得以建构起一个把天地宇宙、万事万物均纳入由阴阳两个基本符号组成的六十四卦系统，形成了一个广大悉备而又变化不已的世界图式。宋明理学家也认为：万物虽多，其实没有一物是无阴阳者。由此知道天地的变化，阴阳二端而已。（张载）天地之间，无往而非阴阳，一动一静，一语一默，都体现了阴阳之理。（《朱熹》明清之际王夫之作出了同样的论断：阴阳二气充满大虚，此外更无他物，也没有间隙，天地的形象，都在其范围之内。可见，在儒家思想中，天地宇宙、万事万物无一不是阴阳二气的产物。阴阳二气又是互相渗透的。这一命题在宋明理学中成为共识。邵雍指出：阳不能独立存在，必得阴而后存在，所以阳以阴为基；阴不能自己显现，必得阳而后显现，所以阴需要阳的应和。朱熹不仅提出了"阴中自分阴阳，阳中亦有阴阳"的命题，而且明确指出：阴阳只是一气，阳退便是阴生，不是阳退了，另外有个阴生。阴阳互渗互透，阴中有阳、阳中有阴，阴阳相需、调协而生化万物，成为儒家世界图式论的一个基本观点，本身即是相互渗透的阴阳之间的平衡与和谐被看作天地万物得以存在的一个基本前提。

第二，就事物发展变化的过程来看，亦体现为阴阳之间在相互对待的平衡中通过此消彼长的不和谐而走向新的和谐的过程。换言之，亦即将事物的变化发展看作是一个动态平衡的过程。《周易》基本的理论意旨，就是要通过将天地万物的基本存在要素归结为阴阳，以六爻、八卦来形象地表征、模拟宇宙万物及其变化、发展过程,进而揭示范围天地,广大悉备,统贯天、地、人三材的根本之道。《周易》的卦爻变化典型地表征了事物通过此消彼长的不平衡变化而走向新的平衡与和谐的过程。中国哲学的这一理论特质在"阴阳五行"论中得到了集中的体现。这个图式的基本特点,是以阴阳为事物运动变化中的内在生命力量而以水、火、木、金、土"五行"作为事物运动变化的外在质料,并以此为基本的观念框架来把握天地宇宙的静态构成与动态变化。在"阴阳五行"论中,世间万物的发展变化均被归结为由阴阳二气的不断消长与水、火、木、金、土"五行"之间的不断生克所形成的永不停息地在动态中求得平衡与和谐的过程。对此,董仲舒在《春秋繁露》中作了有代表性的论述:天地之气,合而为一,分为阴阳,判为四时,列为五行。五行之间是比相生而间相胜的。"比相生"指五行中相邻者相生,即董仲舒比作"父子"的木生火,水生土,土生金,金生水,水生木。所谓"间相胜",指五行中相间隔者相胜,即木胜土,土胜水,水胜火,火胜金,金胜木。这个观念框架有两方面的基本要点:其一,宇宙万物均是由阴阳消长和五行生克而产生的,离开了阴阳消长和五行生克,天地万物就不可能存在。其二,五行生克是同一变化过程中两种既相互联系而又相互制约的力量,两者缺一就不可能有生存变化。自然之道、人事之理、生命之则,都是阴阳互补互动、五行相生相克。阴阳如果不能达到动态的平衡与和谐,就失去了"阴阳大化"的秩序性,从而陷入失序状态,就会出现天灾人祸、疾病等。这说明,在儒家思想中,事物的存在与变化就是一个不断达到动态平衡与和谐的过程。

第三,就对事物发展趋势的价值取向来看,中国哲学特别注重"中"即构成事物的诸要素均合理合度的状态。这一理论趋向同样在《周易》哲学中已有端倪。正如学界已经注意到的，《周易》特别强调时中的观念，所谓"时中"，亦即随时而中，即随应时空条件的变化而动态地达到"中"。《易传》高度称赏"中"，不仅把天地宇宙看作是一个生生不息、变化不已的生命体，而且以"中"作为其运动、变化的根本律则。《彖传·临》："刚中而应，大亨以正，天之道也。"《彖传·无妄》："动而健，刚中而应，大亨以正，天之命也。"正是《周易》开启了中国哲学"尚中"的价值取向，在日后的发展中逐渐形成了"中庸"、"中道"、"中和"、"中行"等学说和理念。而正如朱熹所指出的，所谓中道，"乃即事即物自有个恰好的道理"，不偏不倚，无过不及。可见，所谓"中"实际上就是构成事物的诸不同要素之间所达成的精妙平衡与和谐。这其中所追求的，不仅是有机的平衡与和谐，而且是动态的平衡与和谐。

正如成中英教授指出的，追求和谐化是中国文化中包括《周易》、儒家与道家共同具有的价值取向。由此形成了"和谐化辩证法"的思维方式，其内涵在阐明如何化解生命不同层次所遭遇到的矛盾和困难，实现生命整体与本体的和谐。运用和谐化辩证法，可以下列方式来化解对立与冲突。首先，觉察并发掘冲突与对立中含有的对偶性及相对性。然后，再觉察并发掘冲突与对立中蕴涵的互补性与互生性。由此，冲突和对立本身即可视为参与和谐化的过程，并产生了某种积极作用。对偶之间趋向和谐的根本原因，在于它们"在本体上是平等的，且长远看来皆合于'道'"。这样，这个充满着不同事物的世界就被视为一个和谐的发展过程，一个不断生成演化的统合体。儒家思想的这一形态与西方文化形成了明显的对比。一方面，正如程宜山教授所指出的，"西方辩证法更强调对立面之间的冲突"；另一方面，西方文化总是要在对对立面的超克中来表征自己的本质性力量。由此，西方文化很容易将差异等同于矛盾，进而认为矛盾必然带来冲突,而解决冲突的办法归根结底免不了走向"你死我活"的境地。在相当程度上,这是今天以美国为代表的西方秉持"文明冲突"论而难免在不同文明间走向战争的一个重要原因。而在以儒家为主体的中国文化看来,文明的差异并不必然带来文明的冲突,如何面对不同文明而寻求"和而不同"之道,才是对于今天人类智慧的真正挑战。

仁者与万物为一体

人们经常用人文主义来描述儒家思想。与此同时,当讨论到人与自然的关系时,人们也常会提到自然主义。这里要强调的是,作为人文主义的儒家,与西方近代以来的人文主义是不尽相同的。这一点在人与自然的关系上表现得颇为典型。

一、内在的人文主义

如所周知,无论自然主义还是人文主义都是源自西方的观念。在宽泛的意义上,西方现代文化中的自然主义代表了这样一种立场,它主张用严格的自然范畴来解释一切现象和价值,把自然看作一切存在的最终源头,并否认超自然力量的存在。人文主义则主张把人的价值看作一切事物中最为根本亦最为重要的价值,在反对用神性压抑人性的同时,亦强调通过人对物(自然)的征服和占有来体现人的价值意义。不难看出,西方现代文化中的自然主义与人文主义是相互排斥的,也就是说,在西方现代文化的观念系统中,自然主义与人文主义在归根结底的意义上具有非此即彼的排斥性,说一个思想系统是自然主义的,就意味着它不是人文主义的,反之亦然。由于在西方现代文化中人文主义是外在于自然的,因此,可以把西方现代人文主义称作"外在的人文主义"。由于西方文化囿于事实世界与价值世界二分的传统,人文主义被设定为既与自然相对立也是外在于超自然的,肯定人的价值就要牺牲与人不同的价值。由此,在西方外在的人文主义

178

的视野中,自然被当作无生命的存在,只是人们探求、利用或控制的对象,因而人与自然是互相对立的。

与此形成对比的是,在以儒家为主体的中国文化中,人与自然的关系却不是互相外在、互相对立的。正如学界已经注意到的,中国文化的一个重要特点就是天地万物通过被生命化而统合为紧密相连的一体。包括儒家在内的中国文化看待天地宇宙以及万物的基本范式就是"生命典范"的,即自觉地把天地宇宙以及万物均看作类人的存在、有生命的存在。在儒家思想中,这在经过《易传》而最终奠定了基本精神方向的《周易》哲学中已有明确的表现。《周易》借助于卦爻符号,建构了一个纵贯天、地、人,横阔时、空与变化而又一体相连的整体宇宙系统。贯通这个系统的基本范式正是生命典范。《周易》不仅肯定了天地宇宙、万事万物是处于永恒变化、运动过程中的,而且鲜明地将"易"解释为生命的流行。《系辞》"生生之谓易"的界定就明确地说明,变易的本质特征正是生命的大化流行。在此基础上,《周易》不仅把天地看作包括人类在内的万物生命的根源(《说卦传》:乾,天也,故称乎父;坤,地也,故称乎母),而且明确地把天地最高的德性看作"生"(《系辞》:天地之大德曰生),即不断地创发新的生命与生机、生意,这就进一步从"生命典范"的视角揭示了天地宇宙、万事万物之间作为"生命"一体相联的内在关联。正是借助于生命典范,《周易》建构起了一个涵容天地人"三材",足以"曲成万物""范围天地"而又以"道"一以贯之的机体网络系统。《系辞》明确指出,"一阴一阳之谓道"。此道是至易简而又至广大的:易道实在是太博大精深了! 往远处说,没有什么东西不在它的范围之内;往近处说,一切事物都稳定而恰当地处在《周易》所呈现的位置上与秩序中。就天地之间而言,易道所包含的已经堪称完备了。体现天道的"乾",

其静而专精,其动而刚直,所以能够使生命更为充实而伟岸。体现地道的"坤",其静而敛藏,其动而扩张,所以能够使生命更为广大而绵厚。易道的广大与天地的博厚相一致,变通与四时的更替相一致,阴阳之理与日月的运行相一致,易简平凡之善则与最高的德行相一致。由此,在儒家思想中形成了"生机主义的万物一体论"。在这一世界图式中,人、人类社会与自然界既各自构成了相对独立的系统,又共同构成了一个紧密相连的整体。它们之中莫不包含了某种内在的生命力量亦即"道"或"天道"。"道"或"天道"构成了万物的存在根源,同时也是贯通万物的内在本性。以生命体存在的万物统领于"道"或"天道",共同构成了充满生机的大化流行。

在儒家"生机主义的万物一体"的世界图式中,作为万物之灵的人既内在于自然,又有着自己的特殊使命。人文主义是儒家思想的一个重要特色。根据成中英教授等的研究,儒家的人文主义与现代西方的人文主义之间又有着"内在的人文主义"与"外在的人文主义"之别。人文主义通常被了解为一种观点与态度,也即人在一切事物中是居于最重要的地位,人的任何活动,必须朝向人的种种价值。可以把人文主义分为内在的与外在的两种。在西方大部分的人文主义都是外在的。而在中国哲学中的人文主义却是内在的,自然被认定内在于人的存在,而人被认定内在于自然的存在。儒家"内在的人文主义"的一个基本特点,就是从"生机主义的万物一体"的世界图式出发,突显了人与天地万物的内在关联。它强调,在归根结底的意义上人是内在于而非外在于天地万物的。《周易》哲学从两方面突显了天地万物对人的内在性。

其一,天地万物构成了人之所以为人的存在前提。《序卦》明确指出：有天地然后有万物，有万物然后有男女。有男女然后有夫妇，有夫妇然后有父子。有父子然后有君臣，有君臣然后有上下。有上下然后就可以有针对性地确定礼义与礼仪。这显然是把天地万物的存在看作人、人类社会存在的前提。《说卦》指出：从前圣人作《易》的时候，以顺性命之理为基本出发点。所以将天之道命名为阴与阳，将地之道命名为柔与刚，将人之道命名为仁与义。包括天地人三材而每一材都有两个方面，所以六画就构成了《易》的卦象。不仅区分阴阳，而且交叉使用体现柔刚，所以《易》用六个位置就设定好了章法。这也清楚地说明，天地人及其运行律则是融为一体的，人在存在形态上是不外于天地宇宙的。

其二，天地宇宙亦是人的价值之源，人之所以为人所应具的德性是"法天效地"的结果。《乾·象传》"乾道变化，各正性命"的论断，直接揭示了作为天之表征的乾道与万物之本性的关系：正是天道的变化为万物本性的贞定确立了根据。这也就为人在德性上效法天地提供了可能。由此，《易传》进而明确将"裁成天地之道，辅相天地之宜"指认为人的责任与义务。这样，《周易》事实上是将天地之德看作人之德性的形上根据。这从《系辞》"生生之谓易"与"天地之大德曰生"的论断中即可清楚地见出："生"不仅是天地之基本的存在形态，而且更是天地之最高德性，正是天地宇宙所昭示的"大德"为人类提供了价值的源头。由此，《周易》开启了后儒以"生"释"仁"，将人之本质属性与天地之德相联系，以为之确立形上根据的基本精神方向。

与此同时，人作为大宇长宙中唯一具有灵明者，又不是完全类同于其他万物的存在，而是具有一种特殊使命，即通过人的存在而不仅更为充分地实现天地之道，而且使之发扬光大。《论语》所谓"人能弘道，非道弘人"，《孟子》所谓"尽心知性以知天"、所谓"践形"，《中庸》所谓"只有天下最真实无妄者能充分发挥自己的本性；能充分发挥自己的本性，就能充分发挥众人的本性；能充分发挥众人的本性，就能充分发挥万物的本性；能充分发挥万物的本性，就可以助成天地化育生命；能助成天地化育生命，就可以与天地并列为三"，所言明的就是这个道理。张载所谓"为天地立心，为生民立命，为往圣继绝学，为万世开太平"堪称是十分典型地代表了中国哲学对人之使命的基本体认：人之所以为人的存在之理要求，人不仅要通过效法天地而成就自己作为人的德性，而且还有着内在的义务与责任将其德性施之于宇宙万物，以切实尽到参赞化育之责，充分地实现天地生生之德，使大宇长宙更加充满生机与活力。在这里，张载不仅鲜明地展示了天下一家、民胞物与的仁者气象，而且道出了一个挺立于大宇长宙之间的仁人志士的"天地情怀"。当然，在中国哲学中，人虽有着与其他万物不同的特殊使命，但这一特殊使命归根结底依然是为了实现天地万物自身本有的内在价值，其特殊之处只在于：只有通过作为天地之灵明的人的努力，天地万物自身本有的价值才能实现得更为充分亦更为豁显。

二、恩及禽兽，泽被草木

正是秉持"内在的人文主义"的立场，自孔孟时代起，儒家就以"仁爱"为基本出发点、以建立在等差之爱基础上的"推爱"为基本方式，鲜明地表现出了寻求与自然和谐一体的价值取向。孔子"钓而不纲，弋不射宿"的行为方式本身就体现了对待鸟儿与鱼儿的仁爱之心。当子路、曾皙、冉有、公西华在孔子的要求下"各言其志"时，对均有志于为邦治国的子路、冉有、公西华，孔子只是一任他们各自表达自己的志趣而未直接做评价，唯独对做出"暮春三月，我穿上春天的衣服，约五六位朋友，带上六七个小孩，到沂水边游泳洗澡，登上雩坛迎风起舞，一路唱着歌回家"这一回答的曾皙（即曾点），夫子喟然叹曰："吾与点也！"尽管我们可以对孔子何以"与点"从不同角度乃至不同层面作出见仁见智的多种解读，但孔子在这个故事中显然表达了一种亲近自然甚至与天地万物融为一体的"存在感受"，这一点应当是确定无疑的。

孟子顺此而进，在亲、民、物的关系框架下对儒家的"推爱"做了"仁民爱物"的经典表述，他说：君子对于万物，爱惜它，但谈不上仁爱；对于百姓，仁爱，但谈不上亲近。亲爱亲人而仁爱百姓，仁爱百姓而爱惜万物（仁民而爱物）。不仅如此，孟子还提出了一些具体要求，力图把"仁民而爱物"的要求落到实处。他批评齐宣王"恩足以及禽兽，而功不至于百姓"是希望齐宣王把在祭祀过程中见牛之觳觫（惊恐害怕）而以羊易牛的"仁心"扩而大之，由"爱物"以致于"仁民"。他倡导"不违农时"、"数罟不入洿池"、"斧斤以时入山林"，则是强调，一定要顺应农业、渔业与林业本身的规律，这其中显然包含了"爱物"的要求。在这方面，荀子、董仲舒也抱持了相同的理论立场。

根据齐姜红等学者的研究，儒家"仁民爱物"的精神在宋明理学家中得到了更为具体的论述。张载在《西铭》中提出了"民胞物与"的思想：我虽渺小，却浑然处于天地之间，天地就是我的父母。充塞于天地之间者是我的形体，统率天地万物者是我的本性。民众是我的同胞，万物是我的同类。二程则提出"仁者以天地万物为一体"，明确肯定人与万物之间具有一体相连的紧密联系。王阳明则进一步具体指明，大人之

能以天地万物为一体,是因为"其心之仁本若是":一个人见
到小孩子将要掉入井内,惊惧同情之心必然会随之产生,这
是因为其仁爱之心与小孩子联为一体,小孩子仍然是与我同
类的;见到鸟兽的哀鸣惊恐,爱怜不忍之心必然会随之产生,
这是因为其仁爱之心与鸟兽联为一体,鸟兽仍然是有知觉
的;见到草木受到摧折,怜悯体恤之心必然会随之产生,这是
因为其仁爱之心与草木联为一体,草木仍然是有生命的;见
到瓦石的毁坏而必然升起顾惜之心,这是因为其仁爱之心与
瓦石联为一体。这说明上述一体之仁,即使在小人的心中也
必定有之。

可贵的是,在寻求人与自然的和谐相处方面,传统儒家
不仅提出了理念,而且还在实践方面做出了有益的探索。在
治国理政中,儒家很早就注重掌管与自然相关职分的职务的
设置。在《周礼》地官之中,就有专管"山林之政令"的"山
虞",有"掌巡林麓之禁令"的"林衡",有"掌巡川泽之禁令"的
"川衡"。在《礼记·月令》中还出现了"野虞"、"水虞"、"虞
人"等职分。《荀子·王制》中出现了"虞师"的职分,并明确
规定了"虞师"的职责:制订禁止焚烧山泽的法令,养护山林、
湖泊中的草木、鱼鳖和各种菜蔬,根据不同的时节决定何时
围禁、何时开放,使国家物资足用并可持续。在其中,按照自
身的规律养护自然是重要的内容。不仅如此,在安排整个社
会生活方面,儒家事实上堪称是以与自然相协调为基础的。
这在《礼记·月令》中同样有明确的表现。《月令》不仅按照
月份具体规定了对待动物、水产等方面宜做和不宜做的事
情,而且其对于全年社会生活的安排都是首先考虑到如何
根据时令的特点以趋利避害,寻求人与自然的和谐相处构
成了其所有活动的前提。《月令》的相关主张,可以从一个
侧面看作中国古代文明的一个缩影。正如学界已经注意到

的,在儒家思想主导下的传统中国社会,虽然也在某个特定的时期或特定的区域出现过环境的污染、生态的破坏等问题,但在整体上则保持了社会与自然的和谐关系。在一定的意义上,这也是中华文明得以维持几千年而不辍的前提条件之一。这一方面是传统农业社会的内在要求,另一方面也与中华先民在人与自然之间的和谐一体的自觉追求有密切关系。

原典选读

以他平他谓之和，故能丰长而物归之；若以同裨同，尽乃弃矣。故先王以土与金木水火杂，以成百物。

——节选自《国语》

齐侯至自田，晏子侍于遄台，子犹驰而造焉。公曰："唯据与我和夫！"晏子对曰："据亦同也，焉得为和？"公曰："和与同异乎？"对曰："异。和如羹焉，水火醯醢①盐梅以烹鱼肉，燀之以薪。宰夫和之，齐之以味，济其不及，以泄其过。君子食之，以平其心。君臣亦然。君所谓可而有否焉，臣献其否以成其可。君所谓否而有可焉，臣献其可以去其否。是以政平而不干，民无争心。故《诗》曰：'亦有和羹，既戒既平。鬷嘏无言，时靡有争②。'先王之济五味，和五声也，以平其心，成其政也。声亦如味，一气，二体，三类，四物，五声，六律，七音，八风，九歌，以相成也。清浊，小大，短长，疾徐，哀乐，刚柔，迟速，高下，出入，周疏，以相济也。君子听之，以平其心。心平，德和。故《诗》曰：'德音不瑕。'今据不然。君所谓可，据亦曰可；君所谓否，据亦曰否。若以水济水，谁能食之？若琴瑟之专一，谁能听之？同之不可也如是。"

——节选自《左传》

子曰："君子和而不同，小人同而不和。"

子曰："质胜文则野，文胜质则史。文质彬彬，然后

---

① 醯(xī)醢(hǎi)：指醋和鱼肉做成的酱。

② "亦有和羹，既戒既平。鬷嘏无言，时靡有争"：意思是"有着调和好的羹汤，味道恰到好处而又干净，神明享用而无可挑剔，上下和睦而无纷争。"

君子。"

子曰:"知及之,仁不能守之,虽得之,必失之。知及之,仁能守之,不庄以涖之,动之不以礼,未善也。"

子曰:"温故而知新,可以为师矣。"

子曰:"学而不思则罔,思而不学则殆。"

定公问:"君使臣,臣事君,如之何?"孔子对曰:"君使臣以礼,臣事君以忠。"

子路问事君。子曰:"勿欺也,而犯之。"

有子曰:"礼之用,和为贵。先王之道,斯为美;小大由之。有所不行,知和而和,不以礼节之,亦不可行也。"

子曰:"人能弘道,非道弘人。"

子钓而不纲,弋不射宿。①

子路、曾皙、冉有、公西华侍坐。子曰:"以吾一日长乎尔,毋吾以也。居则曰:'不吾知也!'如或知尔,则何以哉?"子路率尔而对曰:"千乘之国,摄乎大国之间,加之以师旅,因之以饥馑;由也为之,比及三年,可使有勇,且知方也。"夫子哂之。

---

① 子钓而不纲,弋不射宿:意思是孔子用鱼竿钓鱼而不用大鱼网捕鱼,用带生丝的箭射鸟,而不射归巢的鸟。

"求！尔何如？"对曰："方六七十，如五六十，求也为之，比及三年，可使足民。如其礼乐，以俟君子。""赤！尔何如？"对曰："非曰能之，愿学焉。宗庙之事，如会同，端章甫，愿为小相焉。""点！尔何如？"鼓瑟希，铿尔①，舍瑟而作，对曰："异乎三子者之撰。"子曰："何伤乎？亦各言其志也。"曰："莫春者，春服既成，冠者五六人，童子六七人，浴乎沂，风乎舞雩②，咏而归。"夫子喟然叹曰："吾与点也！"三子者出，曾皙后。曾皙曰："夫三子者之言何如？"子曰："亦各言其志也已矣。"曰："夫子何哂由也？"曰："为国以礼，其言不让，是故哂之。""唯求则非邦也与？""安见方六七十如五六十而非邦也者？""唯赤则非邦也与？""宗庙会同，非诸侯而何？赤也为之小，孰能为之大？"

——节选自《论语》

喜、怒、哀、乐之未发，谓之中。发而皆中节，谓之和。中也者，天下之大本也。和也者，天下之达道也。致中和，天地位焉，万物育焉。

万物并育而不相害。道并行而不相悖。小德川流，大德敦化。此天地之所以为大也。

唯天下至诚，为能尽其性；能尽其性，则能尽人之性；能尽人之性，则能尽物之性；能尽物之性，则可以赞天地之化育；可以赞天地之化育，则可以与天地参矣。

——节选自《中庸》

孟子曰："君子之于物也，爱之而弗仁；于民也，仁之而弗

① 铿尔：象声词。
② 舞雩(yú)：即舞雩台，又称雩台，位于曲阜城南三里的沂河之北，是一座高大的土台，原为鲁国祭天的祭坛，后因孔子带领学生在此乘凉歌咏，故称舞雩台。

亲。亲亲而仁民，仁民而爱物。"

——节选自《孟子》

夫易，广矣大矣！以言乎远，则不御；以言乎迩，则静而正；以言乎天地之间，则备矣。夫乾，其静也专，其动也直，是以大生焉。夫坤，其静也翕，其动也辟，是以广生焉。广大配天地，变通配四时，阴阳之义配日月，易简之善配至德。

有天地然后有万物，有万物然后有男女。有男女然后有夫妇，有夫妇然后有父子。有父子然后有君臣，有君臣然后有上下。有上下然后礼义有所错。

昔者，圣人之作易也，将以顺性命之理。是以立天之道曰阴与阳，立地之道曰柔与刚，立人之道曰仁与义。兼三材而两之，故易六画而成卦。分阴分阳，迭用柔刚，故易六位而成章。

生生之谓易。

天地之大德曰生。

——节选自《易传》

乾称父，坤称母，予兹藐焉，乃混然中处。故天地之塞，吾其体；天地之帅，吾其性。民吾同胞，物吾与也。

——节选自张载《西铭》

致，推而极之也。位者，安其所也。育者，遂其生也。自戒惧而约之，以至于至静之中，无少偏倚，而其守不失，则极其中而天地位矣。自谨独而精之，以至于应物之处，无少差谬，而无适不然，则极其和而万物育矣。

——节选自朱熹《四书章句集注·中庸章句》

见孺子之入井，而必有怵惕恻隐之心焉，是其仁之与孺子而为一体也，孺子犹同类者也；见鸟兽之哀鸣觳觫，而必有不忍之心焉，是其仁之与鸟兽而为一体也，鸟兽犹有知觉者也；见草木之摧折，而必有悯恤之心焉，是其仁之与草木而为一体也，草木犹有生意者也；见瓦石之毁坏而必有顾惜之心焉，是其仁之与瓦石而为一体也。是其一体之仁也，虽小人之心，亦必有之。

——节选自王阳明《大学问》

安身立命

最近几年，不时听到一种说法，就是中国文化、中国人是没有信仰的。曾经担任美国国务卿的希拉里就曾经这样说过。应当说，某些西方人这样看中国文化与中国人并不奇怪，中国文化与西方文化在信仰方面的确存在着差异。如果走不出"西方中心论"，简单地以西方来衡量中国，完全有可能得出这样的结论。值得注意的是有些中国学者也这样看待中国文化与中国人。如在《百家讲坛》中以讲中国历史文化而闻名的易中天教授，在他 2014 年 8月出版的中华历史第九卷《两汉两罗马》中，就明确认为中国人没有信仰。这个说法关系甚大。信仰总是与一个文化、一个民族对终极性的价值意义或曰人生根本价值意义的追求相联系。每一个成熟的、有自己长久的文化生命的文化系统,都有自己的信仰价值系统。如果说中国文化没有信仰,不仅是说中国文化是一个不成熟的文化系统,而且也无法面对中华文化源远流长、有着数千年传承发展历史这一基本事实。在这一点上,我们的看法是:说中国文化没有西方式的信仰诚然,说中国文化没有信仰则断然不可。以下就结合儒家思想来对这一问题做出具体的分析。我们认为,在儒家思想中,集中体现其信仰系统或者按儒家的说法叫安身立命之道的是"孝"。

孝的根本精神与尽孝的基本途径

孝是一个中国人耳熟能详的字眼。那么，它又是如何体现为儒家的安身立命之道的呢？这就要从孝的根本精神与行孝的基本途径讲起。

一、孝的历史命运

孝是一个在中国传统文化中具有重要地位、在中国现代思想史上也一直受到持续关注并颇富争议性的问题。成书于秦汉之际的《孝经》，不仅分门别类地论列了天子、诸侯、卿大夫、士与庶人等当时五类社会成员应具备的孝德与孝行，而且对孝的价值意义做了高度肯定。《孝经》不但认为天地万物之中，人类是最为尊贵的，人类的行为中，没有比孝更为重大的，且进而强调，最高的孝弟之德与孝弟之行所体现出来的精神,可以通达于神明,光照于天下,感通遍润于一切,因此,孝不仅是人类首要的品性,而且是"天之经,地之义",堪称体现了天地的根本精神。在传统中国社会之中,孝亦可谓极受尊崇。它不仅被称为"百善之首",而且曾经不止一个王朝明确号令"以孝治天下",在一定意义上可以说是成为了国策。其间虽然也偶尔有个别人发出过"非孝"的声音,如东汉王充就曾有"夫妇不故生子,以知天地不故生人"的说法,孔子第二十代孙孔融进一步发挥此说,提出了"父母于子无恩"论,认为"究竟应该怎样看待父亲对儿子的亲情关系呢?就其本意而言,儿子的结胎只是因为父亲情欲作用的缘故!再说儿子与母亲之间,又是怎样的? 就像一个物体寄养在瓴中,一出娘胎就分离了",但由于儒家思想长期以来作为中国传统社会占主导地位的意识形态已堪称根深蒂固,因而这样一些"闲言碎语"并不足以动摇孝的地位。

然而,在五四新文化运动时期,在中国文化传统遭到激烈批判的同时,作为中国文化传统的核心内容之一,孝也受到了猛烈的抨击。新文化运动的一些领袖人物如陈独秀、鲁迅、胡适等都曾先后著文,对孝提出了批判。这其中对孝的抨击最为集中,亦产生了最为广泛的社会影响的当属被胡适誉为"四川省'只手打孔家店'的老英雄"的吴虞。他先后发表了《家族主义为专制主义之根据论》、《说孝》等文章,明确指出:以孔子为代表的儒家教孝,所以教忠,也就是教一般人恭恭顺顺地听一干在上的人愚弄,不要犯上作乱,以把中国弄成一个"制造顺民的大工厂"。孝字的大作用,便是如此!不仅如此,由于孝的范围无所不包,家族制度与专制政治,"遂胶固而不可以分析"。而君主专制所以利用家族制度的缘故,以孔子弟子有若的话为最切实。有子说:孝弟是人的根本。一个孝弟的人,一般不喜欢犯上;不喜欢犯上而喜欢作乱者,从来没有过。孝弟成了消犯上作乱的重要方法。这样,儒家的孝弟成为二千年来联结专制政治与家族制度不可动摇的"根干"。他由此得出结论说,儒家的主张"其流毒诚不减于洪水猛兽矣"。吴虞的相关论断,显然是立足于传统社会中家与国之间的紧密关联,从家庭与社会这两大层面对儒家所推重的孝提出了颇为尖锐的批评。

以五四新文化运动对孝的大力批判为标志,在现代社会中,孝事实上受到了相当的冲击。但是,对孝所具有的复杂性,我们应当有一个清楚的认识。由于孝是一个本身有着丰富的义涵同时又在传统社会中涉及面非常广泛的问题,因此,在它的旗号下,既包含了高妙的理想性境界,也不乏感人至深的美德美行,但同时也存在着某些并不美好甚至颇为丑陋的东西。五四新文化运动时期的"非孝"的确堪称触及了传统社会中与孝或多或少有着内在关联的真实一面。它对于我们超越单向度的传统视野更为全面地对孝加以审视特别是更为清楚地认知其问题无疑具有重要意义。但是,即使把孝仅仅看作一种社会性的道德伦常规范,这也并不是它的全部内容。而正如我们后面所要讨论到的,由于孝还构成了中国人寄托其终极关怀的一种重要方式,试图仅仅通过揭露其作为社会性的道德伦常规范的弊病就将其在中国文化中连根挖断,显然不能看作是一种具有厚重历史感的深长之思。在成熟形态的中国文化传统中,没有出现基督教式的人格神信仰的宗教,这可以说是中国文化区别于西方文化的一个重要特征。之所以如此,是与儒家思想以自身的方式为人们提供了安身立命之道,从而充任了中国文化系统中的宗教性功能直接相关的。而孝则是其中的一个重要组成部分。

二、报本反始：孝的根本精神

在《说文解字》中，许慎依据小篆的字形结构，将孝解释为"善事父母者"，认为它是"从'老'省，从'子'，子承老也"。在今天看来，这一说法是有更为悠久的历史渊源的。根据目前学界的研究，在金文中，孝字上半部很像一个头发稀疏、弯腰驼背的老人，年少之人以头承老人手行走或年少之人搀扶老人行走，就构成了孝字。这显然与《说文解字》所谓"子承老"、"善事父母"之义是相吻合的。因此，孝字特别是它所立足的孝行肯定是与"善事父母"直接相关联的。

但是，我们却并不能由此就将孝的意涵仅仅框限于"善事父母"。尽管时至今日，关于孝究竟起源于何时的问题学界尚存在着见仁见智的争论，但有一点则是确定无疑的："善事父母"不仅不是孝仅有的意涵，而且在早期，甚至就不是孝的主要意涵。从其起源来看，孝与在中国文化中源远流长的祖先崇拜有着直接的关系，对"鬼神"即已经去世的先祖的祭祀构成了其中的主体内容。对此，我们不仅在现存的西周时期的一些青铜器铭文中可以清楚地看到，而且在《论语》所记载的孔子对大禹"菲饮食而致孝乎鬼神"的赞辞中亦可窥见端倪。这就说明，孝的意涵明显地要大于"善事父母"。那么，为什么对祖先的祭祀与"善事父母"这两种在具体内容上并不完全相同的行为又都可以被归结在孝的德目之下呢？这乃是因为它们归根结底都体现了作为"孝之为孝"之根本特质的"报本反始"的精神。

"报本反始"语出《礼记·郊特牲》"唯社，丘乘共粢盛，所以报本反始也"，是一个深具儒家特色的观念。它所表达的是一种受恩思报、得功思源的感恩戴德之情。这句话中至少包含了以下两层意思：第一，在中华先民的观念中，谷物是土地所赐与的,谷物的生长与丰收,体现了土地对人类的恩德;第二,与此相关联,在祭祀土地的时候,人们之所以把谷物盛在祭器内以让都城周边的井田"共享",正是要将谷物得以生长的功德归之于土地并示报答其恩惠之意。在先民的观念中,子女的生命是父母所给予的,亦体现了父母的恩德,因而同样应当以"报本反始"的态度去对待父母,由此,"善事父母"就成为孝德的题中应有之义。而由于父母的生命又是源自于先祖的,因而,"慎终追远"的结果自然是要将祭祀先祖包括在孝的要求之中了。正如孔颖达在《五经正义》中所指出的,祭祀之礼的本意是因为感践霜露而思念亲人,由此而宜设祭以寄托对先祖的怀念之情,而不是为了接近先祖以求福报。由此,祭祀祖先与善事父母虽然在行为的具体内容上并不完全相同,但由于它们都秉承了同样的"报本反始"精神,因而就都可以看作体现了孝德的孝行了。

三、尽孝的基本途径

在一定程度上,祭祀祖先、善事父母,并进而"慎终追远"乃至《中庸》所谓"继志述事",堪称是在个体生命本位的意义上较为彻底地体现了自我生命的根源意识,因而它们构成了作为道德伦常规范的"孝"的主体内容。但这些却并非"孝"的全部内涵。人是物质与精神的综合体,人的生命也包括了肉体生命与精神生命两个方面。而人之精神生命的成长又是与在社会氛围之中接受作为人类精神之外化成就的文化的熏陶与濡染密不可分的。在这个意义上,人的生命存在又可以看作文化性的存在、社会性的存在。因此,"报本反始"之"本"与"始"如果仅仅停留在个体生命之"祖"上,对人的整体生命存在言,就是于义有缺的。只有涵括了社会或文化的层面,才能更充分地体现出人之精神生命的本质。

不仅如此,作为有着强烈的超越祈向的存在者,人不仅会追问"我"是从哪里来的,而且同样会追问"我们"是从哪里来的。这就走向了对作为一个类而存在的人的"类性生命"的终极根源即类性生命之本的探寻。不同于西方基督教传统认为人是由上帝创造的,中国文化传统把天地视为人的类性生命之本。早在《诗经》中就已经有了"天生烝民,有物有则"的观念。《礼记·哀公问》也指出:"天地不合,万物不生;大婚,万世之嗣也。"《易传》更是明确指出:有天地然后有万物,有万物然后有男女,有男女然后有夫妇,有夫妇然后有父子,有父子然后有君臣,有君臣然后有上下,有上下然后就可以有针对性地确定礼义与礼仪。这显然是把天地看作包括人类在内的万事万物之所以得以产生并得到养育的终极根据。

孝正是在感恩报德之中将生命的终极本、始指向了天地。在谈到郊祭即对天地的祭祀时,《礼记》指出:正是由于天地为万物之所以存在的根源,祖先则是个人生命之所以存在的根源,所以祭天地时以祖先配享。而对于天地的祭祀,正体现了对报本反始的尊崇。正像人们应当对自我生命之所从出的祖先尽孝一样,对于作为包括人类之生命在内的万事万物之终极根源的天地,也理当抱持崇德报恩的感激之情,从而也为天地"尽孝"。

由此,建立在报本反始基础上的"孝"就事实上指向了三个具体的向度:作为个体生命之本的祖先、作为社会生命或文化生命之本的圣贤与作为类性生命之本的天地。正是对三者尽孝的统一而非其中的某一方面,构成了中国文化传统中"孝"的完整内容。正如《大戴礼记》在谈到与"孝"具有紧密之内在联系的"礼"时所指出的:礼有三个本源:天地是所有生命之本;先祖是个体生命之本;君师是社会人文之本。

没有天地生命如何得到养育？没有先祖我们从何而来？没有君师社会如何得到治理？上述三本如果丢掉了某一方面，民人就不得安宁。所以，按照礼的要求，应当上事天，下事地，宗事先祖，而尊崇君师，天地、先祖与君师构成了礼的三个本源。这里的"君师"显然可以看作人的社会生命或文化生命这一向度的代表。对此，我们以圣贤替代之。这主要是基于两方面的考虑：其一，按照儒家的观念，惟圣者才能为王，故"君"本即应是"圣"，而"师"则肯定是贤者，因而君师本来即是圣贤；其二，世易时移，在今天再称"君师"已不合时宜，而改称圣贤则恰能如其实。这里不仅指出了天地、先祖与君师（圣贤）是礼之"三本"，而且强调，"三本"如果缺少了某一方面，就不足以安顿民人。因此，只有抱持"报本反始"的情怀，既尽到善事父母、祭祀先祖、继志述事等家族义务，又行仁践义而履行好自我的社会责任，并通过"赞天地之化育"的方式而达致"与天地参"之境，才堪称是完整而无"偏亡"的"孝德"与"孝行"。

孝与儒家的安身立命之道

　　颇有意味的是,人们践行孝道的上述三个面相,正与儒家的安身立命之道或曰信仰的三条路径相吻合。

一、儒家的安身立命之道的三个具体面相

　　这里所谓"安身立命之道",即对于人之所以为人、人生之终极价值与意义等人生之根本问题的关切。这显然关涉到人的信仰层面。如所周知,这些问题又总是与人的生死问题关连在一起。死乃人生之大限。就人作为一个孤立的生命体而言,死不仅意味着生命的消失,同时也划定了人生价值与意义的极限。但是,人的超越本性决定了他必定不会甘心于让生命的意义完全为自我有限的生命存在所框限。因此,当人对自己的生命有了明确的自我意识、对我与非我有了明确的区分后,他不可能不进而深切关注"死"的问题,并由此而触发对人生意义的进一步思考,以图透过有限的生命存在追寻到无限的生命意义。在相当程度上,这是人作为一个有着自觉的超越追求的类存在区别于其他动物的一个重要特质,也是人类社会总是有宗教存在的一个重要原因。由于超越死亡以获得恒久的生命意义乃是人作为一个生命存在体最为内在的生命祈向,因而作为人之"终极关怀"的宗教,就不能不将追求永生或不朽的问题作为自己理论系统的核心问题。

　　在中国文化传统中,儒家在中国人的安身立命方面发挥了重要作用。同其他文明形态一样,在原初的中国文化中也

曾有过原始宗教占主导地位的时期,延至殷商也依然是一切以听从天命为中心。在经过了"小邦周"取代自以为"天命永驻"的"大邑商"的历史巨变后,以突显人之自觉性与自主性为基本价值取向的文化变革进程随之开启。以殷周之际的"宗教人文化"为源头,通过春秋战国时代"超越的突破"为之奠定基本的精神方向,经过两汉、魏晋、隋唐的长期发展,到宋明时期终于集其大成,在以生命意义的安顿为中心主题的中国文化传统中,逐渐形成了一套立足于吾人之自我,在人性自足而不需要上帝眷顾的前提下,充分凸显人之终极价值与意义的价值系统。因此,在春秋战国之后的中国文化传统中,不仅没有出现类似于西方的以人格神信仰为基本特征的宗教系统,而且随着立足于人性自足的终极关怀价值系统的确立,人格神意义的上帝在中国文化的精神理念层面不得不最终退隐。这其中的一个关键之点正在于:在中国文化中,人至高无上的珍贵性与吾性自足的完满性早在其轴心时代——春秋战国时期就已确立。由儒家和道家共同完成的中国文化之"超越的突破",其基本的精神指向就是要实现对传统天命观的革命,以充分凸显人自身的价值与意义。因此,作为中国文化传统的两大主干,儒家与道家对人性的具体认识虽有不同,但在强调人具有自我做主的完满性、强调人可以不归依于上帝而是依凭自我以获得生命之终极意义这一理论关节点上,他们却保持了明显的一致性。

概括而言,儒家的安身立命之道或曰终极关怀又具体展开为以下三个向度。

第一,通过道德人文精神的向上贯通而达到"与天合一"或者"天人合德"的理想境界。正如前文已经指出的,不同于基督教认为人是上帝造的,儒家把并不具有自觉意识的天地看作人类生命所从出的最终根源。由此,人与天地之间体现出了一种归根结底一体化的内在关联。天地万物不仅构成了人之所以为人的存在前提,而且天地宇宙亦是人的价值之源,人之所以为人所应具的德性是"法天效地"的结果。这事实上是将天地之德看作人之德性的形上根据。这样,在儒家看来,人之所以不同于一般动物的根本之所在是人具有德性生命精神,而天地作为人类生命之本,也正以其"生生"(即不断创发新的生机与活力)之"大德",体现最高程度的德性生命精神。人生的基本使命就在于在与他人、社会乃至天地宇宙的互动关系中,既成就一个具有内在仁德的自我,亦通过"赞天地之化育"而成就一个为大化流行的德性精神所充满的世界。人的生命本身虽然是有限的,但在追寻生命意义的过程中,只要能够使自我的德性生命精神与生生不息的天地精神相贯通,就可以超越有限而融入无限,从而获得安身立命的依归。这也就是说,我个人的生命与生命精神虽然是有限的,但是只要我个人的德性生命精神能够充分地发挥出来,使之融入天地宇宙的生命精神中去,并且通过我的努力,使天地宇宙的生命精神得到更充分的发挥和表现,我的生命就超越了有限而获得了永恒。因为我虽然总是有死的,但是天地宇宙的精神却是长存不灭的。

第二,通过个体生命与群体生命的关联,以使自我融入社会的方式来使自我生命获得恒久的价值与意义。作为一个以人之生命意义的安顿为主题的思想系统,中国文化对于生命的安顿涵括了"个体生命"与"群体生命"两种形态。由于个体生命总是无法突破生命的自然限制,无法超越具体的时间与空间而获得恒久的存在,而由一代又一代人所组成的以群体生命的形态存在的"社会"却在生命的不断绵延中体现出了永恒相续的可能性,因而将有限的"小我"的个体生命融入具有无限绵延之可能性的"大我"的群体生命之中,就构成了中国文化传统中解决人之终极关怀、安顿人之生命意义的一种重要方式。在这一过程中,当自我生命所成就的德业足以使自我融入历史、足以使自我的生命精神与民族的生命精神之流相贯通时,就可以使个体生命在与群体生命"慧命相承"的关联中跨越短暂而契入永恒,从而获得安身立命的依归。正是有见于此,《左传》突显了"立德、立功、立言"对于人之生命存在的重要意义,将这三件事看作人之"三不朽"亦即使短暂的生命获得永恒的意义的三种方式。而由于中国文化传统是以儒家思想作为主流意识形态的,因而,在"三不朽"中,中国文化事实上更为注重的是"立德"即以自己的躬行践履为他人和社会树立道德的榜样和"立言"即为他人和社会留下足以"载道"之言。至于建立事功,则在归根结底的意义上被视为道德实践的自然结果,而非某种独立的追求。当然,无论如何,三者同时构成了将有限的"小我"的个体生命融入具有无限绵延之可能性的"大我"的群体生命之中,以解决人之终极关怀的一种具体方式。

第三,通过自我生命精神与先祖以及子孙之生命精神的契接,而体认一己生命之永恒的意义。在传统中国社会中,如果说上述两个方面还主要是与作为社会精英的"士"阶层有更直接的关系,第三个方面则是关联于包括普通的"愚夫愚妇"在内的所有中国人的。不同于基督教,儒家不追求通过上帝的拯救来求得个人生命的永生。它把生命的本质看作一种生生之德的绵延与体现,不仅将自我生命看作对祖先生命的延续,而且子孙后代的生命也是一己生命之延续。一方面是做长辈的要以自己的德性生命为晚辈树立足以师法的榜样,另一方面则是做子女的要继承先辈的志业并将之发扬光大。由此,在祖先与子孙后代之间就构成了一个不断延续、不断发展的生命链条,而自我生命则可以看作连接这个绵延无穷的生命链条之中的特定环节。生命在时间中的承续同时也就成为一个长辈与晚辈之间的德慧生命流动不已的过程。这样,正是在自我生命精神与先祖以及子孙之生命精神不断契接的过程中,个人就可以突破个体生命由于死亡而带来的有限性、短暂性,真切地感受到一己生命的源远流长与流衍无穷,从而体认"吾性自足"的生命价值。这就是说,我的生命是祖先生命的延续,子孙后代的生命则是我的生命的延续。由此,在祖先与子孙间就构成了不断延续、不断发展的生命链条,生命在时间中的绵延同时也就成为长辈与晚辈间的生命延续不已的过程。正是在自我生命精神与先祖以及子孙之生命精神不断契接的过程中,个人就可以真切地感受到一己生命的源远流长与流衍无穷,从而体认一己生命之永恒的意义。

换言之,传统中国人在敬拜祖宗的过程之中,所做到的,所能看到的,是一个个体生命精神不断绵延、发展的过程。往前看,是祖先的生命与生命精神,我的生命是对祖先生命和生命精神的延续和发展。往后看,是子孙后代的生命与生命精神。子孙后代的生命和生命精神,不仅是绵延了我的生命与生命精神,而且是把我的生命与生命精神,还有祖先的生命和生命精神承接了下来并发扬光大。这样,我有限的生命就成为一个能够绵延到无穷无尽的、由祖先到后代的整个生命链条中的一个环节。尽管我的生命是有限的,但是只要尽职尽责地把这个环节的事情做到、做好,我就完成了自己的人生使命。等我的生命走到尽头时,我已经可以安然地离开这个世界,因为我的生命和生命精神已经在子孙后代之中不断得到绵延和发展。在这个意义上,我们可以说,17世纪末、18世纪初罗马教廷与清廷之间愈演愈烈的"礼仪之争",所争其实并不仅在礼仪,而实质上是两种终极关怀价值系统的碰撞。对儒家传统下的中国民众而言,祭拜祖先不仅是习俗而且包含了由此而安顿自我生命意义的文化内涵。而对西方传统的基督徒而言,祭拜只能留给上帝,而且任何形式的偶像崇拜都是对上帝的不敬。因此,分别承载了各自"终极关怀"的中国文化传统中的"祖宗崇拜"与西方文化传统中的归宗于上帝之间的冲突可以说是在所难免的。

二、儒家安身立命之道的基本特质与历史影响

"孝"所代表的儒家安身立命之道形成了自身颇为鲜明的特点。为了对此有一个更为清楚的认识,我们接下来将它与东方的佛教与西方的基督教所代表的终极关怀形态做一概要的对比。

对于源起于印度的佛教而言,它强调人的灵魂是永恒不灭的,因而同一个灵魂可以不断地驻足而又离开不同的肉体,以在不停的轮回转世中不断修炼,最后得以证成正果,涅槃成佛,求得永生。基督教则告诫,只有通过上帝的救赎,带着"原罪"来到俗世的人们才有可能得到拯救。当俗世的末日最终来临的时候,不论是已死的人的灵魂还是活着的人,都莫不要接受上帝最后的审判,并由上帝决定是进入永恒的天堂(千年王国),还是打入永恒的地狱。虽然基督教与佛教一样,可以说都有灵魂不灭的思想,但两者仍然存在着某种程度的差别:比较而言,佛教对生命个体的自我修炼更为注重,而基督教则更为充分地强调了上帝对于人是否能够得到拯救的最终决定性作用。

儒家的安身立命之道走上了一条与上述两个路向均不相同的道路。概括而言,它有以下四方面的基本特质。

第一,儒家把人的本质界定为一种与道德精神相关联的属性,因而它所谓不朽实际上指的是一种道德人文精神的长

存不灭。儒家并不关心所谓"灵魂是否不灭或不朽"的问题。

第二,不同于西方文化中人神二分的世界模式,在中国文化中,超越世界和现实世界是融而为一的。

西方文化归根结底是要把自我生命终极意义的根源都归之于上帝,无论作为一个个体还是作为一个群体,都是如此。而之所以如此最基本的原因就在于,正是上帝构成了无论是个体生命还是整个人类生命的终极根源。在把自我生命终极意义的追寻都归结到生命的终极根源这一点上,中国文化与西方文化有相似之处。中国文化也是要把自己生命的终极意义都归结到生命根源那里去。但是其不同之处在于,西方文化最终指向了一个超越于现实世界之上的、之外的绝对的存在体——上帝。但中国文化所说的生命的三个根源,无论是父母、祖先,还是圣贤以及天地,恰恰都是有形有影的,都是我们看得见的,都是与我们一起共同存在于这个现实世界之中的,而不是在这个现实世界之上的。西方有一句俗语,叫做"上帝的归上帝,凯撒的归凯撒"。在这里,凯撒是现实世界的代表。之所以这样说,是因为西方文化中现实世界与终极世界之间是二分的,人是生活在世俗的现实世界之中的,终极世界即作为人之本源的上帝所在的世界则是人们所接触不到的。在中国文化与中国的社会之中,如果在作为生命的根源这个意义上,可以把我们的父母与祖先、圣贤以及天地都看作是一个绝对的存在,但它们不仅完全不是跟现实世界无关的,而且恰恰就是存在于现实世界之中的,无时无刻不与我们的生命存在直接相关联。

在这一点上,中国文化不仅与西方文化不同,与印度佛教也有差异。正因为这样,印度佛教传入中国后,发生了相当的变化。在印度佛教中,存在着三个世界:过去,现在,未来。因为有三世,所以印度佛教要不停地轮回、转世。他要出家,要从现实世界出走,要到一个禁欲的世界中去。但是中国可以不那样,因为中国是一世,超越世界就是存在于现实世界之中的,也是在现实世界中得到呈现的。一个"有道行"的人可以在现实世界之中做常人同样做的事儿,但却不妨碍他修佛。中国文化中,把成佛跟不成佛,或者是凡人跟圣贤之间的差别,归结为一个人是不是能够"悟"即是否达到了很高的境界。在悟道的过程中,一个人如果能领悟到更高的境界,他虽然同别人一样生活在世俗的世界中,但是已经在心灵上与佛相契合了。一个人做到了这一点,就可以超凡入圣、"立地成佛"了。在中国文化中,有不少我们大家熟悉的话语就是说这个道理的,如"出污泥而不染"、"担水打柴,莫非妙道"等。前一句话是说,一个人虽然生活在污浊的环境之中,却可以保持高洁的心性、品性和境界。后一句话是说,同样是挑水打柴,对于一个没有领悟到高明境界的人来说,挑水打柴就仅仅是挑水打柴而已;而对于一个已经领悟到高明境界的人来说,挑水打柴就不仅仅是挑水打柴,而且更是高妙的道术的发用流行。所以中国文化是一个一重化的世界,而不是一个二分对立的世界。

第三,相对于把人生的终极价值与意义最终托付给上帝的基督教而言,儒家安身立命之道最基本的特色,就是充分肯定人归根结底能够自我做主,立足于现实世界,即可获得安身立命的依归。

儒家安身立命之道强调,只要人充分发挥自己的主观能动性,完成好在现实世界中应当完成的人生使命,他就能够立足于现实世界找到自我生命的终极价值与意义,超越死亡、超越有限而融入永恒,获得自我生命的皈依。因此,人依靠自己、自我做主即通过自己的努力就能获得终极的价值与意义,而不需要依靠上帝。在这一点上,佛教是一种中间形态。佛教既把佛性作为一个人能够修成正果的先在根据,同时也强调自我修行不可缺少,两者的共同作用才使得"成佛"成为可能。基督教虽然也重视个人的修行,但它同时强调,修行归修行,一个人最后能不能够进入上帝的"千年王国",跟这个人的修行,归根结底没有关系。这也就是说,修行是必要条件,但绝不是充分条件。充分条件是,上帝最终决定你能不能进入"千年王国"。这也就是说,在基督教中,普通大众生命的终极意义,最终是由上帝这个"雇主"来决定的、来赋予的,而不是由你个人自主地决定的。所以在基督教中,一个人能不能入天堂,跟他个人的修行并不具有必然的联系。就像我们中国人所说的那样,人在做,天在看,在基督教中,人在做,上帝也在看。一个人做得不好,上帝是不会准他进天堂的;但是一个人做得好,并不一定就能进天堂。能不能进天堂,最终是由上帝决定的。

中国人不讲这套。相对于把人生终极价值与意义最终托付给上帝的基督教而言,儒家安身立命之道最基本的特色,恰恰就在于充分肯定人归根结底能够"自我做主",立足于现实世界就能获得安身立命的依归。孝作为一种安身立命之道,虽然追求的是生命超越死亡的永恒的价值意义,但这种价值意义恰恰是在现世当下实现的,它的关注重心并不在现世之外,不在死了以后,而是专注于人的现实世界。这也是孔子在《论语》中说的:"未知生,焉知死?"上述尽孝的三条途径,无论是天人合一、三不朽,还是为祖先尽孝,都是自己做主的,自己做到了,自己心安理得就行,就足以安身立命了。这也就是说,只要通过你自己的努力就可以找到安身立命之道,获得自我生命的终极意义。

第四,它体现了追求"普遍和谐"的价值理想。在为天地尽孝、为圣贤和社会尽孝与为父母和祖先尽孝的过程中,生命与生命精神的契接，本身就体现为一种和谐。不仅如此，为社会尽孝、为父母和祖先尽孝体现了相互之间为对方尽义务的精神，其理想境界必然是安顺和乐之境，这其中就包含了人与他人及社会、父母与子女之间的和谐之道。

孝所代表的儒家安身立命之道对于中华先民的生命存在形态产生了重要影响。比如我们大家都知道有一句话，叫做"不孝有三，无后为大"。这句话显然与为父母和祖先尽孝有关。根据现有经典，这句话最早出自《孟子》，后来朱熹引东汉赵岐的注疏对这句话做了具体解释。这就是：按照礼的要求，有三个方面的事情可以说是不孝。第一个是，因为曲意奉承父母的意见而陷父母于不义，这是不孝。第二个是，父母年事已高而且家里很穷，你自己却不愿意通过入仕得到俸禄来赡养父母，这是不孝。但是最大的不孝，就是不娶无子，没有后人祭祀祖先了。那么为什么"无后"是最大的不孝呢？因为如果一个人没有后代了，传递和光大祖先的生命和生命精神就没有载体了，那就等于祖先的生命和生命精神在你之后断绝了。那你祖先的在天之灵将完全不能得到安顿。这当然是比前两种情况严重得多的不孝。所以说"不孝有三，无后为大"。从这句话中我们不难看出"为祖先尽孝"对于普通民众的深刻影响。进而言之，中华民族历经几千年的艰难困苦而不断得到繁衍绵延，应当也与在"为祖先尽孝"观念的主导下而生发出的重"生"的"可久、可大"之道有着密切的关联。

在一定意义上，不仅为父母和祖先尽孝，而且包括为圣贤尽孝、为天地尽孝，在中国古代特别是到后期对包括"愚夫愚妇"在内的中华先民亦产生了广泛的影响。在明朝中期之后，在中国社会的普通家庭之中，供奉率很高的"天地君亲师"牌位就是这种影响的一个见证。不难发现，所谓"天地君亲师"牌位,所包含的道理实际上就是我们在前文所说的尽孝的三条途径,即为天地尽孝,为圣贤尽孝,为父母与祖先尽孝。正如前文已经指出的,所谓"天地",就是我们人的类性生命之本。"亲",指的是我们的父母和祖先。所谓"君师","师"是老师,是贤者;"君",按照儒家的观念则应当是圣人,唯圣人可以为君。所以"君师"归根结底是圣贤。所以天地君亲师,它事实上就是为类性生命的根源的天地去尽孝,为社会生命和文化生命的根源的圣贤去尽孝,为个体生命根源的父母和祖先去尽孝,正好完整地包含了前文所说的尽孝的三条途径。

前文已经说到,进入近代以来,与儒家思想的衰落相伴随的,是孝道受到了巨大的冲击。正如前文已经指出的,在成熟形态的中国文化传统中,没有出现基督教式的人格神信仰的宗教,这可以说是中国文化区别于西方文化的一个重要特征。之所以如此,是与儒家思想以自身的方式为人们提供了终极关怀,从而充任了中国文化系统中的宗教性功能直接相关的。而孝则是其中的一个重要组成部分。终极关怀不仅构成了一个文化系统最内在的根核,而且一个文化系统最具特质的成分也总是与其终极关怀密切相关。如果说,在传统中国社会之中,儒学及其所影响下的孝的确起到了某些宗教性的作用,而且宗教作为文化系统的一个重要组成部分,对于现代社会人生依然有其不可或缺的作用与功能,那么,当代中国文化中宗教性功能的结构性空缺就是应当引起关注的。而作为对传统的中国人产生了深刻影响的孝与儒家式的终极关怀,有没有可能依然在现代中国人的生命存在中发挥某种安身立命的作用? 颇有意味的是,如果说孝所代表的儒家安身立命之道与西方基督教的终极关怀系统有着相当的差异,它却与马克思主义的信仰系统在基本精神上有着相当的内在一致性:其理想社会都存在于现实世界之中,而非在现实世界之外或之上;都强调人可以通过自力奋斗而获得自身终极的价值与意义,而不需要"上帝"的拯救。正因为此,当马克思的名字1899年第一次出现在中文世界里时,《万国公报》就将其学说称为"大同学"。这显然是用《礼运》篇中的大同学说来指代马克思的共产主义学说。的确,类似于共产主义的"天下大同"的社会也是自古以来中国人所追求的理想社会。在马克思主义传入中国之后,很多中国人通过皈依马克思主义来解决自己的信仰问题。为什么中国人会在并不太长的时间里就心悦诚服地以从西方传入的马克思主义作为自己的信仰呢?原因是多方面的,其中的一个方面的因素,是与孝所代表的儒家安身立命之道和马克思主义的契合有关。马克思主义认为,共产主义既是一个需要长期奋斗才能实现的理想,同时又是一场现实的运动。所以当我们把有限的生命投入到无限的为人民服务之中去,投入到为无限的共产主义奋斗之中去的时候,就能感受到自我有限生命无限的价值意义。不难看出,这个说法与三不朽在精神实质上是高度契合的,尽管在具体内容上有了变化,但它体现的是将个人这个"小我"融入到社会这个"大我"之中去的基本精神。面向未来,在寻求马克思主义与中华优秀文化传统的深度结合中,"历久弥新"的孝道精神有没有可能重新焕发出时代的异彩呢?这是我们今天反思"孝"与儒家终极关怀的时候应当驻足深思的一个重要课题。

原典选读

太上有立德，其次有立功，其次有立言，虽久不废，此之谓不朽。

——节选自《左传》

曾子曰："慎终追远①，民德归厚矣。"

子曰："父在，观其志；父没，观其行；三年无改于父之道，可谓孝矣。"

孟懿子问孝。子曰："无违。"樊迟御，子告之曰："孟孙问孝于我，我对曰，无违。"樊迟曰："何谓也？"子曰："生，事之以礼；死，葬之以礼，祭之以礼。"

孟武伯问孝。子曰："父母唯其疾之忧。"

子游问孝。子曰："今之孝者，是谓能养。至于犬马，皆能有养；不敬，何以别乎？"

季康子问："使民敬、忠以劝②，如之何？"子曰："临之以庄，则敬；孝慈，则忠；举善而教不能，则劝。"

子曰："孝哉，闵子骞！人不间于其父母昆弟之言。"

曾子曰："吾闻诸夫子：孟庄子之孝也，其他可能也；其不改父之臣与父之政，是难能也。"

---

① 慎终追远：慎重地办理父母丧事，虔诚地祭祀远代祖先。
② 劝：勉励。

有子曰："其为人也孝弟，而好犯上者，鲜矣；不好犯上，而好作乱者，未之有也。君子务本，本立而道生。孝弟也者，其为仁之本与！"

子曰："弟子，入则孝，出则悌，谨而信，泛爱众，而亲仁。行有余力，则以学文。"

——节选自《论语》

孟子曰："不孝有三，无后为大。舜不告而娶，为无后也。君子以为犹告也。"

——节选自《孟子》

唯社，丘乘①共粢盛，所以报本反始②也。

天地不合，万物不生；大婚，万世之嗣也。

万物本乎天，人本乎祖，此所以配上帝也。郊之祭也，大报本反始也。

——节选自《礼记》

礼有三本：天地者，性之本也；先祖者，类之本也；君师者，治之本也。无天地焉生？无先祖焉出？无君师焉治？三者偏亡，无安之人。故礼，上事天，下事地，宗事先祖，而隆君

---

① 丘乘：城郊的井田。
② 报本反始：报，报答；本，根源；反，回到；始，始源。指受恩思报，不忘本始。

师,是礼之三本也。

——节选自《大戴礼记·礼三本》)

夫孝者,善继人之志,善述人之事者也。

——节选自《中庸》

　　仲尼居,曾子侍。子曰:"先王有至德要道,以顺天下,民用和睦,上下无怨。汝知之乎?"

　　曾子避席曰:"参不敏,何足以知之?"

　　子曰:"夫孝,德之本也,教之所由生也。复坐,吾语汝。身体发肤,受之父母,不敢毁伤,孝之始也。立身行道,扬名于后世,以显父母,孝之终也。夫孝,始于事亲,中于事君,终于立身。《大雅》云:'无念尔祖①,聿修厥德②。'"

　　子曰:"爱亲者,不敢恶于人;敬亲者,不敢慢于人。爱敬尽于事亲,而德教加于百姓,刑于四海。盖天子之孝也。《甫刑》云:'一人有庆③,兆民赖之。'"

　　在上不骄,高而不危;制节谨度,满而不溢。高而不危,所以长守贵也。满而不溢,所以长守富也。富贵不离其身,然后能保其社稷,而和其民人。盖诸侯之孝也。《诗》云:"战战兢兢,如临深渊,如履薄冰。"

　　非先王之法服不敢服,非先王之法言不敢道,非先王之德行不敢行。是故非法不言,非道不行;口无择言,身无择行;言满天下无口过,行满天下无怨恶:三者备矣,然后能守其宗庙。盖卿大夫之孝也。《诗》云:"夙夜④匪懈,以事

---

①　无念尔祖:怎能不想念你的祖先。
②　聿修厥德:聿,发声助词;修,学习、光大;厥,其,即他们的。
③　庆:善也。
④　夙夜:早晚。这里指从早到晚。

一人。”

资于事父以事母，而爱同；资于事父以事君，而敬同。故母取其爱，而君取其敬，兼之者父也。故以孝事君则忠，以敬事长则顺。忠顺不失，以事其上，然后能保其禄位，而守其祭祀。盖士之孝也。《诗》云："夙兴夜寐，无忝尔所生①。"

用天之道，分地之利，谨身节用，以养父母，此庶人之孝也。故自天子至于庶人，孝无终始，而患不及者，未之有也。

曾子曰："甚哉，孝之大也！"

子曰："夫孝，天之经也，地之义也，民之行也。天地之经，而民是则之。则天之明，因地之利，以顺天下。是以其教不肃而成，其政不严而治。先王见教之可以化民也，是故先之以博爱，而民莫遗其亲，陈之于德义，而民兴行。先之以敬让，而民不争；导之以礼乐，而民和睦；示之以好恶，而民知禁。《诗》云：'赫赫师尹，民具尔瞻②。'"

子曰："昔者明王之以孝治天下也，不敢遗小国之臣，而况于公、侯、伯、子、男乎？故得万国之欢心，以事其先王。治国者，不敢侮于鳏寡，而况于士民乎？故得百姓之欢心，以事其先君。治家者，不敢失于臣妾，而况于妻子乎？故得人之欢心，以事其亲。夫然，故生则亲安之，祭则鬼享之。是以天下和平，灾害不生，祸乱不作。故明王之以孝治天下也如此。《诗》云：'有觉德行，四国顺之③。'"

曾子曰："敢问圣人之德无以加于孝乎？"

子曰："天地之性，人为贵。人之行，莫大于孝。孝莫大于严父。严父莫大于配天，则周公其人也。昔者周公郊祀后稷以配天，宗祀文王于明堂，以配上帝。是以四海之内，各以

① 夙兴夜寐：兴，起来；寐，睡。早起晚睡。无忝，不辜负；所生，生育你的人。
② 师尹：周太师尹；民具尔瞻亦即民俱瞻尔；瞻：瞻望。
③ 觉：引申为超悟、睿智；四国：四方之国。

其职来祭。夫圣人之德，又何以加于孝乎？故亲生之膝下，以养父母日严。圣人因严以教敬，因亲以教爱。圣人之教不肃而成，其政不严而治，其所因者本也。父子之道，天性也，君臣之义也。父母生之，续莫大焉。君亲临之，厚莫重焉。故不爱其亲而爱他人者，谓之悖德；不敬其亲而敬他人者，谓之悖礼。以顺则逆，民无则焉。不在于善，而皆在于凶德，虽得之，君子不贵也。君子则不然，言思可道，行思可乐，德义可尊，作事可法，容止可观，进退可度，以临其民。是以其民畏而爱之，则而象之。故能成其德教，而行其政令。《诗》云：'淑人君子，其仪不忒①。'"

子曰："孝子之事亲也，居则致其敬，养则致其乐，病则致其忧，丧则致其哀，祭则致其严。五者备矣，然后能事亲。事亲者，居上不骄，为下不乱，在丑②不争。居上而骄则亡，为下而乱则刑，在丑而争则兵。三者不除，虽日用三牲之养，犹为不孝也。"

子曰："五刑之属三千，而罪莫大于不孝。要君者无上，非圣人者无法，非孝者无亲。此大乱之道也。"

子曰："教民亲爱，莫善于孝。教民礼顺，莫善于悌。移风易俗，莫善于乐。安上治民，莫善于礼。礼者，敬而已矣。故敬其父，则子悦；敬其兄，则弟悦；敬其君，则臣悦；敬一人，而千万人悦。所敬者寡，而悦者众，此之谓要道也。"

子曰："君子之教以孝也，非家至而日见之也。教以孝，所以敬天下之为人父者也。教以悌，所以敬天下之为人兄者也。教以臣，所以敬天下之为人君者也。《诗》云：'恺悌③君子，民之父母。'非至德，其孰能顺民如此其大者乎！"

---

① 忒：差错。
② 丑：同"俦"，同辈之中。
③ 恺悌：和乐平易。

子曰："君子之事亲孝，故忠可移于君。事兄悌，故顺可移于长。居家理，故治可移于官。是以行成于内，而名立于后世矣。"

曾子曰："若夫慈爱恭敬，安亲扬名，则闻命矣。敢问子从父之令，可谓孝乎？"

子曰："是何言与，是何言与！昔者天子有争臣七人，虽无道，不失其天下；诸侯有争臣五人，虽无道，不失其国；大夫有争臣三人，虽无道，不失其家；士有争友，则身不离于令名；父有争子，则身不陷于不义。故当不义，则子不可以不争于父，臣不可以不争于君；故当不义，则争之。从父之令，又焉得为孝乎！"

子曰："昔者明王事父孝，故事天明；事母孝，故事地察；长幼顺，故上下治。天地明察，神明彰矣。故虽天子，必有尊也，言有父也；必有先也，言有兄也。宗庙致敬，不忘亲也；修身慎行，恐辱先也。宗庙致敬，鬼神著矣。孝悌之至，通于神明，光于四海，无所不通。《诗》云：'自西自东，自南自北，无思不服。'"

子曰："君子之事上也，进思尽忠，退思补过，将顺其美，匡救其恶，故上下能相亲也。《诗》云：'心乎爱矣，遐不谓矣。中心藏之，何日忘之。'"

子曰："孝子之丧亲也，哭不偯[1]，礼无容，言不文，服美不安，闻乐不乐，食旨不甘，此哀戚之情也。三日而食，教民无以死伤生。毁不灭性，此圣人之政也。丧不过三年，示民有终也。为之棺椁衣衾而举之，陈其簠簋[2]而哀戚之；擗踊[3]哭泣，哀以送之；卜其宅兆，而安措之；为之宗庙，以鬼享之；春

---

[1] 偯(yǐ)：哭的余声曲折委婉。
[2] 簠(fǔ)、簋(guǐ)：两种盛黍稷稻粱之礼器。
[3] 擗：捶胸；踊：以脚顿地。极度悲哀的样子。

秋祭祀，以时思之。生事爱敬，死事哀戚，生民之本尽矣，死生之义备矣，孝子之事亲终矣。"

——《孝经》

　　凡祭祀之礼，本为感践霜露思亲，而宜设祭以存亲耳，非为就亲祈福报也。

——节选自孔颖达《礼记正义》